MARCELLO SORGI

EDDA CIANO

e il

COMUNISTA

L'INCONFESSABILE
PASSIONE DELLA
FIGLIA DEL DUCE

Rizzoli

ISBN 978-88-17-03053-3

Prima edizione: aprile 2009
Seconda edizione: aprile 2009
Terza edizione: aprile 2009

Edda Ciano e il comunista

Ad Antonio e Gregorio.

Prologo
L'album dei ricordi

«Eppure...»

Paino guardava gli scaffali della biblioteca, ma – si capiva – anche quelli mentali della sua memoria, che in quel momento gli faceva difetto.

«Eppure, ti giuro che stava qua, vedrai che a qualcuno prudevano le mani e chissà dove l'ha messo...»

Apparentemente, nelle due stanzette di via Maurolico, dove da sempre ha sede il Centro Studi Eoliani, regnava un ordine perfetto: libri introvabili e preziosi, sul passato e le tradizioni delle sette isole Eolie, sembravano ordinati con cura lungo le pareti. Faldoni con i dorsi colorati custodivano documenti inediti. E sui muri, foto, manifesti, cimeli, ricordi vari delle decine e decine di eventi, come si chiamano oggi, vissuti in un quarto di secolo.

Paino, Allegrino e Saltalamacchia si chiamano tutti e tre Nino, e per questo rispondono solo al cognome. Sono ellittici dei loro nomi di battesimo, tutti li conoscono così. Il Centro Studi lo hanno fondato quasi per gioco, erano ancora dei ragazzi. La prima collezione che avevano catalogato era una serie completa di fumetti di «Tex». Poi, con l'aiuto del professor Giuseppe Iacolino, memoria storica e archivio vivente della cultura e dell'epica eoliana, hanno cominciato a impegnarsi di più.

Così, dal cinema al teatro alla letteratura, a poco a poco

il loro Centro è diventato un punto di riferimento, per chiunque voglia conoscere a fondo il contesto eoliano. Liparoti e amici da sempre, i tre si sono divisi i compiti: Paino, il più posato, il più riflessivo, s'è tenuto l'organizzazione. Allegrino, agile e svelto come i falchi che sorvolano la sua casa, sulla montagna dell'Alta Pecora, cura tutta la documentazione fotografica e filmata. Saltalamacchia, alto, elegante, straordinariamente gentile, introduce dibattiti e ospiti con mestiere da conduttore televisivo.

Quella mattina di inizio agosto 2007 Paino mi aspettava, come gli avevo chiesto, per parlare di confinati politici. Lipari, infatti, durante il fascismo era stata destinata a colonia penale per un migliaio di oppositori del regime, tra cui alcune delle personalità che avrebbero avuto un ruolo importante nella costruzione dell'Italia democratica e repubblicana, o che si sarebbero giocate la vita nella lotta clandestina. Da Ferruccio Parri, per dire, il primo presidente del Consiglio dell'Italia liberata, a Emilio Lussu, fondatore, con Carlo Rosselli, del movimento antifascista Giustizia e libertà. Rosselli e Lussu, insieme con il repubblicano Fausto Nitti, nel 1929 erano stati protagonisti di un'avventurosa fuga per mare da Lipari, organizzata segretamente anche con l'aiuto di esponenti dell'antifascismo liparota.

Gorgogliando tra sé in solitudine, con il rumore sordo delle onde che piano piano muovono i ciottoli sulla riva, Paino infine aveva trovato pace. Davanti a lui, su un tavolo, per terra, su due sedie, c'erano libri, documenti, fotocopie che aveva faticato a ritrovare. «Qui c'è tutto quello che può servirti» mi aveva fatto cenno con la mano. «Ma senza nulla togliere alla tua curiosità» aveva aggiunto «secondo me la storia da raccontare è un'altra. Una vicenda che nessuno è mai riuscito a esplorare e che farebbe molto riflettere.»

Non si trattava degli antifascisti. Anzi, all'opposto, di una delle prime donne sottoposte al confino per complicità con il fascismo dopo la guerra. La «sorvegliata speciale numero 1», come lei stessa amava definirsi, era Edda Ciano Mussolini, figlia del Duce e vedova dell'ex ministro degli Esteri Galeazzo Ciano. Era arrivata nell'isola nel settembre '45, a cinque mesi dalla terribile fine del padre e dallo scempio del cadavere appeso a testa in giù a piazzale Loreto, e a ventuno dall'esecuzione del marito. Il suo confino era durato dieci mesi. A fine giugno '46, dopo neanche un anno, era stata liberata per effetto dell'amnistia firmata da Togliatti.

Al suo arrivo a Lipari, Edda era così depressa e malata che forse non ce l'avrebbe fatta, senza l'aiuto di una famiglia – e senza l'affetto di un uomo. La famiglia che l'aveva sostenuta era quella di don Eduardu Bongiorno, capomusica della banda municipale di Lipari ed esponente antifascista, che era stato d'aiuto a Rosselli al momento della fuga dall'isola. L'uomo, di cui s'innamorò, era uno dei due figli di don Eduardu: Leonida, partigiano comunista, da poco rientrato dalla Francia, dove aveva preso parte sotto falso nome alla guerra di Liberazione.

Così Edda, che ancora si definiva «ostentatamente fascista», si legò a un uomo che altrettanto orgogliosamente esibiva la tessera del Pci. Un capopopolo che organizzava le manifestazioni degli affamati che lottavano per il pane e contro la miseria del dopoguerra. Un comunista colto e romantico, capace di aprirsi uno squarcio nel velo di solitudine della contessa: farla sorridere, renderle meno penosa la prigionia, riscoprendo con lei la poesia della vita indigena delle Eolie.

Anche se Edda nell'isola era abbastanza socievole, e la sua storia con Leonida divenne presto pubblica, tutto per anni era destinato a restare nell'oblio. Per ragioni politiche, presumibilmente, perché ancora oggi un comunista e una fascista innamorati sono difficili da accettare. Ma anche, soprattutto, per ragioni familiari: morto Leonida, suo figlio Edoardo, che porta lo stesso nome del nonno, ne aveva custodito il ricordo fin troppo gelosamente. Ed è a lui che Paino mi aveva indirizzato, per cercare di ricostruire la storia.

L'appuntamento era stato fissato per il giorno dopo. Comunque fosse andata, sarebbe valsa la pena di conoscerlo. Già a prima vista Edoardo Bongiorno si presentava come un tipo interessante. Se il nonno era stato un musicista antifascista, e il padre un soldato partigiano, Edoardo, o «Edoardino» come lo chiamavano in famiglia, aveva subito rivelato da piccolo un innato gusto per l'antiquariato.

Lo si intuiva entrando nel suo albergo, l'«Oriente», che fin dal nome celebra le nostalgie socialiste di casa Bongiorno. Tutto, anche il più piccolo spazio dei muri, era occupato da pezzi preziosi: quadri d'autore, antichi strumenti di lavoro, anfore, mobili d'epoca, vasellami decorati. E in mezzo a tanta ricchezza storica, a un patrimonio accumulato pazientemente nel tempo, con gli sguardi ristorati da tanta bellezza, ospiti inglesi e francesi facevano colazione.

In varie lingue, ma soprattutto in dialetto liparota, Edoardo scandiva con ordini precisi la vita dell'hotel. Ci volle un po' per parlare: era molto indaffarato. E certamente il nostro primo incontro non doveva andar bene. Nel suo studio, dove il computer era appoggiato su una piccola, elegante scrivania, scolpita a mano da un abile ebanista, ci eravamo scambiati i primi convenevoli. Ma quando, senza molti giri di parole, ero venuto al dunque: «Mi dispiace» obiettò Edoardo «di questa storia se vuole possiamo parlare, ma le lettere, quelle lettere, devono restare dove stanno». Non c'era stato neppure il tempo di chiedergli di quali lettere stesse parlando. Preso com'era dall'albergo affollato, Edoardo mi aveva rinviato all'indomani.

Il giorno dopo mi mostrò tre fogli. Il primo era un messaggio scritto da suo padre, Leonida, che, dovendo partire per il fronte e non sapendo se sarebbe tornato, si raccomandava l'anima al Signore e pregava un amico di fare avere notizie ai suoi genitori. Poi, una seconda missiva, scritta molti anni dopo, era indirizzata nientemeno che al presidente degli Stati Uniti, Nixon, via ambasciata di Roma, per protestare a nome di un vecchio soldato alleato contro la guerra in Vietnam. La terza, più o meno con gli stessi argomenti, era rivolta al generale inglese Montgomery, sopravvissuto alla Seconda guerra mondiale.

Pur essendo diverse da quel che mi aspettavo, le tre lettere contenevano un assaggio della personalità di Leonida: un siciliano di grande carattere e temperamento, un garibaldino che, per il solo fatto di aver finito la guerra combattendo accanto a soldati neri che venivano dai sobborghi americani, si sentiva in diritto di rivolgersi direttamente al loro presidente. Di più, purtroppo, Edoardo non voleva dirmi. Sulle «altre» lettere, di cui aveva parlato, e a cui ovviamente ero tornato ad accennare, riteneva chiuso il discorso: «È già un miracolo che esistano ancora. Mio padre, al contrario di me, aveva un rapporto assai complesso con il suo passato. Quando mancò suo padre – mio nonno –, caricò gran parte delle sue cose, compresi i mobili, su un peschereccio, e li andò a gettare in un pezzo di mare profondo migliaia di metri. Era convinto che quando uno muore, scompare. E per lui era giusto che le sue cose sparissero appresso a lui».

Non mi lasciava molte speranze. Edoardo era stato cordiale, ospitale, colorito e generoso nei racconti, ma inflessibile sulle lettere. C'eravamo ripromessi di rivederci e riparlarne ancora. Ma, come dire, almeno da parte mia, senza molte illusioni. Se ha conservato le lettere, mi dicevo, una ragione ci dev'essere. Se non le tira fuori, ce ne dev'essere una più forte. Dopo quel colloquio ero andato in vacanza. Della storia di Edda e Leonida, s'era parlato ancora qualche volta, quell'estate, con gli amici del Centro Studi. Niente di più.

Proprio per questo fui molto sorpreso l'anno dopo, ad agosto 2008, quando Paino, rivedendomi sul corso di Lipari, mi comunicò che Edoardo voleva parlarmi. In cuor mio, avevo smesso da tempo di pensarci. Ma la notizia riaccese di colpo tutta la mia curiosità. Ci presentammo insieme la mattina dopo all'«Hotel Oriente». Per incassare, inattesa, la nuova proposta di Edoardo: lettere e altri documenti avrei potuto vederli in albergo, a patto di non portarli via di lì, né fotocopiarli, né fotografarli. Per un articolo, se era questo che avevo in animo di scrivere, uno sguardo doveva risultare sufficiente.

L'offerta era prendere-o-lasciare: l'inflessibile regolamento edoardiano mi assegnava un solo, piccolo passo avanti. Importante, seppur limitato. E accompagnato, fatto da non trascurare in una trattativa tra siciliani, da gentilezza, attenzioni e segni di amicizia e ospitalità, degni della miglior tradizione.

Così, già prima che accettassi formalmente, senza lasciarmi sfuggire l'occasione, un tavolino da lavoro, all'ombra di una palma e circondato da agavi e banani, era già stato allestito per me nel giardino tropicale dell'albergo. Un cameriere si faceva vivo ogni tanto con tè, granite e deliziose fette di crostate. Per qualsiasi dubbio, per qualsiasi curiosità, avrei dovuto rivolgermi solo a Edoardo. Ma nei dieci giorni in cui, taccuino alla mano, avevo potuto leggere l'epistolario, fu preziosa anche sua moglie, Isabella. Lei di Leonida sapeva tutto: e alla ricostruzione cartacea e documentale del personaggio, aveva aggiunto il suo punto di vista, un acuto spirito d'osservazione e irresistibili, gustosi quadretti familiari.

Dopo il lavoro sulle carte e una chiacchierata più approfondita con Edoardo, in qualche modo eravamo a metà dell'opera. Avevo crampi e calli alle dita per la quantità di righe copiate a mano dalle lettere e da vecchi libri assai rari, ma anche un quadro d'insieme della storia, con molti aneddoti e la sensazione dell'atmosfera di quel tempo. Quanto a Edoardo, come intuii dall'inizio, era soddisfatto che tutto fosse andato secondo i suoi piani. Oltre a osservarmi, tenendomi lì in albergo, poteva dire a se stesso di avermi conosciuto. Il nostro era stato un avvicinamento selvatico, cauteloso, un tantino diffidente. Un'annusata, più che una vera conoscenza, una cosa isolana. E tuttavia eravamo entrati in confidenza, come in quelle amicizie che in Sicilia si rafforzano continuando a darsi del lei, senza entrare in una vera intimità.

Malgrado ciò, sentivo che mi mancava qualcosa. Sapevo bene di non poterlo chiedere, ma quando l'idea di questo libro cominciò a farsi concreta, mi feci coraggio e chiamai Edoardo da Roma. Era fine novembre, combinammo di vederci presto. Tornai a Lipari ai primi di dicembre, in mezzo a una grande tempesta: molti tetti e case dell'isola erano scoperchiati e spezzata a metà l'unica strada percorribile. L'«Oriente» era chiuso, ma Leonida mi aspettava lo stesso nel suo studio. Con mia meraviglia, non batté ciglio alla proposta di rivedere il materiale e approfondire nuovamente tutti gli aspetti della storia.

Finora avevo potuto sfogliare solo le trascrizioni delle lettere di Edda a Leonida. Adesso mi servivano gli originali, per poter dimostrare l'effettiva esistenza del carteggio. Subito dopo avrei dovuto vedere i luoghi, i percorsi, gli angoli in cui tutto era accaduto. E, ovviamente, per questo, avevo ancora bisogno di lui. In una vecchia custodia, c'era ancora il trombone di don Eduardu. Accanto, la valigia in pelle di Leonida, una borsa da giramondo con gli adesivi di tutti i grandi alberghi che aveva frequentato. Stavolta Edoardo non ebbe bisogno di pensarci: «Partiamo di qui e poi andiamo avanti».

Per due giorni, accompagnato da Allegrino, che saltellava come un cerbiatto con la sua macchina fotografica tra posti, cose e immagini delle diverse dimore familiari dei Bongiorno, facemmo una full immersion. Cominciammo dalla casa dei primi incontri, che Edda aveva ribattezzato *Petite Malmaison* e dove ancora, un po' impolverata, c'era l'insegna di legno scolpita a mano da lei. Ritrovammo la piccozza e il cappello da alpino di Leonida, il suo documento falso, da partigiano francese. Andammo nella casa di campagna di Edoardo, per vedere le antiche foto di famiglia.

Ma la scoperta, il vero tesoro di tutta la storia, ci aspettava nella casa di Lipari. Una casa museo, con una mostra permanente dei cimeli di famiglia incorniciati e appesi alle pareti. Messo al sicuro o fatto sparire da Leonida, lì, secondo i ricordi di Edoardo, doveva esserci un grosso pacco di documenti. Appena entrati, salita la scala che s'affacciava su una traversa del corso, puntammo diritti su un vecchio armadio-libreria del salotto. Gli sportelli, chiusi da molto tempo, erano un po' ingrossati dall'umidità. Si aprirono con qualche sforzo e con rumori sinistri, ma si aprirono.

Dall'armadio, per primo, uscì una sorta di cofanetto di cinque libri di memorie di guerra di Leonida: un'autobiografia indispensabile per capire fino in fondo l'indole e il carattere del personaggio. Poi una specie di registro: fogli di album da disegno, come quelli che avevo potuto vedere in albergo, rilegati con una copertina di cartone e un pesante dorso di legno, stretto tra due perni a vite che tenevano insieme le pagine. Al centro della copertina campeggiava la cifra «1945», sovrastata da una scritta, con il soprannome che Leonida aveva attribuito a Edda: «Con Ellenica. Su un raggio di sole. Fino al tramonto». In alto, sull'angolo destro, le iniziali: «l.b.». In basso, con la stessa grafia, la firma «leonida bongiorno» tutta in minuscolo, ripetuta anche in controcopertina.

Scritte con una piccola «lettera 22», la macchina da scrivere portatile Olivetti, usata per decenni dagli inviati speciali dei grandi giornali italiani, su ogni foglio c'erano le trascrizioni delle singole lettere di Edda. Numerate, ordinate e archiviate, quando possibile, con l'annotazione della data, del tipo di messaggio («a mano», «espresso», «cartolina») e della lingua originale («in francese», «in inglese»).

Fin qui, era quel che già sapevo e avevo avuto modo di vedere all'«Oriente». Ma finalmente, davanti ai nostri occhi, c'era il pacco lasciato da Leonida. Faticammo abbastanza a tirarlo fuori dallo scaffale, ma con un po' d'attenzione riuscimmo a estrarlo e a poggiarlo su un tavolo. Era qualcosa di irregolare e a suo modo misterioso. Un oggetto soffice e gonfio, di settanta centimetri per cinquanta, chiuso ermeticamente con carta gommata, spago e quei piombini che si usavano un tempo per sigillare le spedizioni postali. Non si può dire quale fosse la nostra eccitazione di fronte all'involucro chiuso: a Edoardo si erano affacciate le lacrime.

Naturalmente non fu facile aprirlo. Il primo strato di carta d'imballaggio doveva rivelarne un secondo, di cel-

15

lophane. Al suo interno, palline di naftalina triturata. Sotto, altra carta. Poi altra plastica, di nuovo altra carta e così per almeno quattro strati. In fondo ai quali, protetto, quasi come imbalsamato, un enorme album da fotografie, con fogli neri, ricoperti di carta lucida trasparente. Le lettere di Edda, in bella mostra, ciascuna con la sua busta e il suo timbro postale in evidenza, erano state conservate miracolosamente così. Ma non solo: come avremmo scoperto, di lì a poco, con una certa emozione, nel pacco, oltre alle lettere, c'erano gli appunti del diario di Leonida e tutta la documentazione spicciola della sua storia con Edda – dalle ciocche di capelli, ai petali di rosa, ai messaggi cifrati che i due innamorati si erano scambiati negli anni.

A giudicare dagli ultimi documenti, Leonida doveva aver sistemato tutto a metà degli anni Settanta. Una raccolta preziosa, chissà se a insaputa di lei, di materiali che andavano ben oltre lo schedario delle trascrizioni, in cui la vicenda era descritta dall'inizio alla fine con date e annotazioni che si fermavano alla primavera del '47. Per motivi che avrei capito soltanto dopo, l'album dei ricordi, invece, si spingeva più avanti nel tempo; si addentrava nella vita dei due protagonisti anche dopo la fine della loro relazione, seminando qui e lì qualche dubbio sul fatto che un rapporto così intenso potesse essersi esaurito completamente. Seppur con qualche ambiguità, era come se Leonida avesse voluto scrivere un altro capitolo della sua storia.

I

L'incontro

Portava spesso occhiali scuri. Aveva in odio la luce sguaiata di Lipari. Teneva gli occhi socchiusi, stancamente.

Anche quella domenica, all'uscita dalla chiesa, quando l'amica, Maria Giuffrè, la tirava verso di sé preoccupata della folla, delle grida, delle facce, della polizia. Ma lei volle fermarsi a guardare.

L'uomo urlava così forte che la gente, spaventata, attorno a lui aveva fatto il vuoto. Era alto, il più alto di tutti, possente, ricordava un pirata saraceno. Urlava Leonida, eppure le sue parole erano persuasive, sommesse, pazienti: «Voi vi dovete calmare. Finitela. Così non andiamo da nessuna parte. A casa, a casa ve ne dovete andare. Altrimenti chiamo io le vostre mogli e gli dico di venirvi a prendere! A casa, ve ne dovete andare. Poi parlerò io con il vescovo...».

Per secoli la Chiesa era stata l'unica vera autorità delle isole Eolie, il piccolo arcipelago carico di storia e di mitologia, a metà strada tra Sicilia e Calabria. La Chiesa aveva amministrato la miseria e la fame, l'ignoranza e l'istruzione, la tenacia e la sopravvivenza. Era naturale che, in quel momento di disperazione, la gente si rivoltasse contro il vescovo. Non c'era la farina per il pane. Le navi arrivavano vuote. Il tempo di guerra era finito, eppure, il dopoguerra si presentava anche peggio.

«Chi è quell'uomo? voglio conoscerlo» sussurrò Edda nell'orecchio dell'amica. E Maria: «Un grande personaggio...».

Nell'ottobre del 1945, Edda Ciano Mussolini era arrivata a Lipari da un mese, come confinata politica. Ultimo approdo di una vita avventurosa e sfortunata. Paradossalmente le era toccata la stessa sorte di quel migliaio di oppositori del fascismo, destinati a pagare, nell'isola, con l'emarginazione il prezzo del loro dissenso. Edda però era una delle prime, e certamente la più illustre, delle personalità messe in cattività dalla nascente democrazia italiana.

Era stata dichiarata ospite non desiderata dalla Svizzera, dove s'era rifugiata con i suoi figli pochi giorni prima dell'esecuzione del marito, Galeazzo Ciano. E lì, dopo due anni di solitudine, isolamento e sofferenza, tra conventi e manicomi, l'aveva colta la notizia della terribile fine del padre, Benito Mussolini, e dello strazio del cadavere in piazzale Loreto.

L'avevano accompagnata alla frontiera di Chiasso, per il rimpatrio. Era stata presa in consegna da uno zelante questore e da alcuni militari americani. Una traduzione squassante, su un carro armato, fino a Milano. Poi, su un aereo militare, a Catania. E ancora, su una corvetta, dal porto di Augusta verso Lipari. Nel silenzio ruvido della truppa e dei funzionari che la scortavano, Edda non si sentiva più viva.

Così il paesaggio surreale dello Stretto di Messina le era apparso come un sogno, o come la prima immagine che ognuno spera di vedere dopo la morte o la perdita di coscienza. Quelle due lingue di terra che si avvicinavano, stringendo un lembo di mare ribollente di gorghi, e sembravano quasi toccarsi, prima di aprire il passaggio verso il mar Tirreno, la lasciarono incantata.

Poi, al traverso di Messina, la prua della corvetta aveva virato verso ovest, presto il profilo delle isole cominciava a disegnarsi sul grigio settembrino di un orizzonte annuvolato. Per prima era apparsa la costa di Vulcano, con le vegetazioni selvagge che parevano salire dal mare e arrampicarsi sul dorso delle rocce nere. L'odore nauseabondo dello zolfo e delle fumarole di lava addormentata era arrivato fino a bordo, richiamando la vista e i colori stuporosi, dal verde al blu all'oro, delle colature vulcaniche.

E d'improvviso, il vento incanalato tra gli scogli delle due isole vicine spazzò via la nebbia e Lipari, il suo Castello, la baia di Marina Lunga spuntarono a sorpresa, con i muri ingrigiti di un paese fantasma. Una lancia umida, con due poveri marinai, s'era avvicinata alla murata della corvetta. In questo modo Edda era sbarcata, scaricata quasi come una prigioniera o un pacco afflosciato.

Leonida Bongiorno era rientrato a Lipari tre mesi prima, alla fine di giugno '45. Ad accoglierlo, sulla banchina, trovò il padre, don Eduardu, che a lungo lo aveva pianto per morto durante i cinque anni della guerra.

Rarissimo esemplare di alpino isolano, Leonida era stato tenente nella divisione Ceva dell'Esercito Regio, aveva comandato decine e decine di soldati liguri e piemontesi, ne aveva imparato a conoscere i dialetti, le tradizioni, le abitudini, ad apprezzarne il coraggio e riuscire incredibilmente, lui siciliano eoliano, a guadagnarsi la stima e l'obbedienza di tutti.

Nei due-trecento passi dalla banchina di Sottomonastero alla casa sulla Civita, in cima al paese, don Eduardu, in preda alla commozione, cercò confusamente di raccontare al figlio le novità maturate in sua assenza: i morti e i vivi, quelli ch'erano partiti, quelli ch'erano tornati, e quelli di cui non si era saputo più niente. Leonida lo ascoltò frastornato, mentre tutti e cinque i suoi sensi si affannavano – gli occhi guardavano senza vedere, il naso annusava a piene narici, le mani stringevano altre mani, le orecchie attente ai rumori più che alle parole e la sua bocca insolitamente silenziosa. Ancora non riusciva a credere di essere tornato a casa.

Era vivo e davvero l'incubo della guerra era finito. Accanto all'anziano padre, che arrancava più lento, Leonida aveva attraversato a larghi passi – le gambe e il corpo ischeletriti dalla fame degli ultimi mesi – il corso del paese in cui, inattesi, quei pochi che lo riconoscevano correvano a gettargli le braccia al collo. Le scale della vecchia casa, divorate a due a due, dovevano riservargli la peggiore sorpresa, quella che don Eduardu non aveva avuto cuore di dirgli. Vestita di nero, abbandonata su una sedia con lo sguardo perso, sua madre Angela era ormai assente. Non lo avrebbe riconosciuto.

Molti anni dopo, Leonida avrebbe descritto così il momento dell'incontro: «Conobbi Ellenica una sera. Al termine di una violenta dimostrazione per le vie del paese, in cui avevo potuto calmare gli animi con poche e semplici parole d'occasione. Ellenica chiese gentilmente di me alla signorina Maria Giuffrè, che l'accompagnava. Fui chiamato. Le fui presentato». Un approccio assai inusuale, in un paese e in anni in cui ci si salutava a malapena tra conoscenti. Non si erano fermati molto, forse si erano appena parlati. Era rimasto tutto racchiuso nei loro sguardi. Lui, alto, forte, vigoroso, gli occhi scuri, era ancora sudato, agitato, scalmanato per la prova di forza con i rivoltosi. Dietro l'involucro della sua debolezza, Edda ne era stata attratta, senza darlo a vedere.

«Mi apparve subito come una rondine ferita dalle ali infrante» una persona «che non avrei potuto non aiutare» aveva annotato Leonida, senza immaginare «la storia e la favola breve» che li avrebbero uniti di lì a poco: «Ellenica, come io la chiamai, poteva essere la realtà dei miei giorni». Era stato invece l'inizio di una grande passione, di un amore disperato. E di una malinconia durata tutta una vita.

II

Lo strano intreccio

Don Eduardu Bongiorno, il papà di Leonida, era una delle persone più conosciute e stimate di Lipari. Elegante, con la sua lobbia in testa nelle giornate più fredde, di poche parole e di saggezza universalmente rispettata, univa in sé talento artistico e passione politica. Fu il primo trombone cantabile del corpo musicale municipale, di cui presto era divenuto il capobanda. E già nel 1895, a soli sedici anni, fondò a Lipari il Movimento operaio socialista.

C'era anche chi diceva che il «maestro», affettuosamente chiamato così, avesse conosciuto Mussolini quando ancora era un compagno. S'erano trovati insieme alle prime manifestazioni, poi ognuno andò per la propria strada. Rimase misterioso il fatto che don Eduardu, agli inizi del regime, venisse privato del porto d'armi dalla milizia fascista ma, richiamato poco dopo dal prefetto di Messina, se lo vide restituire: forse, si disse, per ordine diretto del Duce.

Don Eduardu continuò a fare di testa sua. E, durante il periodo fascista, quando ogni manifestazione pubblica doveva aprirsi necessariamente con le note di *Giovinezza* e della *Marcia Reale*, lui non suonava. Anzi, restando in piedi, teneva ostentatamente abbassato il suo strumento, per poi riprendere a soffiarlo quando ricominciava il repertorio normale.

Il capomusica a Lipari era molto apprezzato anche per la sua cultura e la saggezza dei suoi consigli, che dispensava generosamente un po' a tutti, con doti particolari di sensibilità e riservatezza. Nell'isola ancora si ricordano quei matrimoni che, prima di essere celebrati davanti al parroco, venivano combinati dal maestro.

La stravaganza, il temperamento artistico e insieme l'autorevolezza, oltre naturalmente all'assai rara, per quei tempi, vocazione antifascista, avevano fatto di don Eduardu un naturale punto di riferimento della comunità dei confinati politici antifascisti. I confinati, quasi un migliaio di coscritti, in tempi in cui l'isola contava circa diecimila abitanti, vivevano abbastanza per conto loro. Un po' si sentivano spiati, un po' la gente temeva di dar loro confidenza. Don Eduardu era uno dei pochi che intratteneva apertamente rapporti con loro.

Concentrata tra le mura del paese, ristretta in buona parte all'interno del Castello, dove quelli che non erano riusciti a portarsi dietro le famiglie vivevano in condizioni semicarcerarie, la comunità dei confinati comprendeva differenti posizioni politiche: comunisti, socialisti, repubblicani e liberali, leader prestigiosi, tiepidi militanti vittime di spiate e perfino delinquenti comuni, usati come informatori dalla polizia per intercettare l'attività e le mosse degli oppositori del regime.

All'interno della comunità non c'erano vere forme di organizzazione, né gerarchie riconosciute né tanto meno strategie condivise. E la mancanza di informazioni, la censura sulle lettere in partenza e in arrivo, rendeva incerto ogni ragionamento, ogni previsione sul regime, a quell'epoca in ascesa.

Il più audace piano di ribellione al confino nacque così, all'ombra di questa condizione di isolamento. In dissenso con il più illustre confinato, Ferruccio Parri, futuro primo presidente del Consiglio dell'Italia liberata, un gruppo di giovani più irrequieti concepirono l'idea di una fuga via mare da Lipari. Un'evasione così complicata e difficile da organizzare, da sembrare irrealizzabile. E che, una volta riuscita, dopo tre tentativi andati a vuoto, costò tre anni di carcere duro a uno degli organizzatori rimasto a Lipari, il socialista Paolo Fabbri.

I primi a pensarci erano stati Carlo Rosselli ed Emilio Lussu. Ne erano così convinti che ne avevano parlato fin dal primo giorno in cui si erano incontrati. Dopo un po', a loro si era unito anche Nitti. Ma un piano talmente azzardato non avrebbe potuto realizzarsi senza l'aiuto di don Eduardu.

Carlo Rosselli, nato a Roma da un'agiata famiglia ebrea toscana, si era guadagnato una condanna a cinque anni di confino per «intensa attività antifascista» e per «favoreggiamento nell'espatrio di Filippo Turati e Sandro Pertini», il primo leader del partito socialista e il secondo, anche lui socialista, futuro presidente della Repubblica italiana. Anche Turati era scappato per mare attraverso la Corsica verso la Francia. Prima di partire era pieno di dubbi, depresso per la morte della sua compagna, Anna Kuliscioff, e al momento di salpare era stato trascinato a forza a bordo. Ma alla fine ce l'aveva fatta, e la sua fuga divenne il modello per i confinati di Lipari.

Rosselli era il più deciso. Non aveva riserve sul progetto, e non solo per lo spirito ardimentoso che lo distingueva. C'era in lui la convinzione che quel tipo di fuga, che aveva in sé qualcosa di romantico e spettacolare, oltre a rappresentare l'unica possibile via d'uscita dall'isola, potesse avere, con il suo ritorno mediatico, un importante effetto politico. Il regime ne sarebbe risultato gabbato e avrebbe svelato la sua incapacità di sorvegliare i confinati, che si ostinava a dipingere come un gruppo di terroristi.

Parri invece, era assolutamente contrario: rassegnato al confino, e convinto che il fascismo prima o poi sarebbe caduto, riteneva che la forza del movimento antifascista dovesse emergere anche dalla capacità dei suoi militanti di sopportare le angherie del regime, organizzandosi nel frattempo per la riscossa.

Queste perplessità Parri, con contegno e distacco piemontesi, le sussurrava quasi solo a se stesso. Nel timore di spiate, non parlava con nessuno e non prendeva parte alle rare occasioni di incontro della comunità. Non condivideva, non solo i piani, ma anche lo stile di vita di alcuni dei più giovani confinati. Tra cui Rosselli, che a Lipari, godendo della condizione economica privilegiata della sua famiglia, aveva affittato una bella casa, teneva due camerieri a servizio, amava ricevere con la moglie inglese Marion Cave, mangiare e bere e, per quanto possibile, cantare e suonare il pianoforte. Naturalmente Parri non era il solo a criticare lo stile di vita borghese di Rosselli; segretamente, concordava con lui anche la larga rappresentanza comunista all'interno della comunità.

Anche se inviso a buona parte dei confinati politici, il bel carattere di Rosselli, la sua socievolezza, la sua partecipazione alla vita del paese, oltre alla sua disponibilità a insegnare a leggere e a scrivere ai ragazzi liparoti (nell'isola c'è oggi una scuola elementare pubblica intestata a lui), ne avevano fatto subito un personaggio popolare. A Lipari era arrivato nel gennaio del 1928, a soli ventotto anni. Prima di lui, nel marzo e nel novembre del 1927, erano sbarcati i suoi compagni di fuga: Fausto Nitti, repubblicano, azionista, ed Emilio Lussu, leader del Partito sardo d'azione, con i quali, qualche anno dopo, avrebbe fondato il movimento partigiano di Giustizia e libertà. Quanto a Parri, di dieci anni più grande, il suo confino era cominciato nel settembre del 1928.

Nei primi tempi la fase della progettazione della fuga toccò punte di ingenuità che sembravano dar ragione al fronte dei perplessi. Si andava dall'ipotesi di avvalersi di un idrovolante, a quella di rubare il motoscafo della polizia alla fonda davanti a Marina Lunga, a quella, nientemeno, di costruire un dirigibile con cui cercare di raggiungere la costa più vicina. Né i fuggiaschi si facevano scoraggiare dal tentativo, fallito, di allontanarsi dall'isola con una piccola barca a remi, di un altro confinato comunista, Antonio Spangaro, scoperto e arrestato.

Tutto entrò in una fase più concreta con il coinvolgimento della moglie di Rosselli che, come libera cittadina straniera, poteva andare e venire da Lipari e tenere i contatti con altri pezzi importanti dell'antifascismo clandestino sul continente. Furono questi a fornire appoggi logistici e incoraggiamenti alla fuga. Tra loro, Ernesto Rossi, azionista, europeista, e con Altiero Spinelli ed Eugenio Colorni, futuro estensore del Manifesto di Ventotene, Alberto Tarchiani, giornalista, corrispondente dall'America del «Corriere della Sera», e Gaetano Salvemini, grande meridionalista: menti organizzative della fuga, e a Parigi, del gruppo di Giustizia e libertà.

Dopo qualche incertezza, si decise per la fuga in motoscafo. Ne era stato comperato un primo, il «Sigma», in Francia, una barca da lago che si rivelò inadeguata. Poi un secondo, il «Dream V», un mezzo più grosso e attrezzato, con il quale il piano fu realizzato. Il 27 luglio del '29, dopo una notte e un giorno di navigazione, i fuggiaschi approdarono a La Goulette, in prossimità di Tunisi. Di lì ripartirono per la Francia, dove erano attesi dagli altri espatriati.

Ma senza il «contributo strategico» di don Eduardu, la fuga non si sarebbe mai realizzata. Infatti, trovata la barca e messo insieme l'equipaggio (l'audace amico di Pertini, Italo Oxilia, che aveva già portato in salvo Turati e il motorista francese Paul Vanin), era emerso l'ostacolo più serio: poiché nessuno conosceva le coste di Lipari, per studiare la rotta e l'avvicinamento, servivano carte nautiche. In tempi in cui i pescatori ancora navigavano a vista, le carte erano considerate introvabili. I confinati non sarebbero mai riusciti a procurarsele, se non fosse entrato in scena il loro inatteso alleato.

Per mantenere la famiglia, il vecchio capomusica aveva sempre avuto, come seconda attività, una piccola agenzia marittima di spedizioni. Così, messo a parte del progetto della fuga, il maestro, riservatamente, s'era rivolto al comandante di una nave suo amico. Questi gli mise a disposizione le carte nautiche, che don Eduardu ricalcò a matita.

La consegna dei preziosi disegni era avvenuta a Sottomonastero, nell'antro, quasi una grotta in cui don Eduardu teneva i suoi spartiti musicali con le bollette e la carta da imballaggio del suo lavoro, e con la radio che suonava a volume altissimo. Dalle mani del capomusica a quelle di Rosselli, il materiale era poi passato in quelle di Jaurès Busoni, un calzolaio toscano, dirigente socialista e autore di un bel libro sulla vita dei confinati, che, scontata la pena, stava per tornare in continente.

Busoni le aveva portate a Firenze alla moglie di Rosselli. Non personalmente, perché temeva di essere scoperto, ma avvalendosi dell'aiuto inconsapevole di un cognato fascista. Marion le fece arrivare a Parigi, a Salvemini e Tarchiani, che le passarono a Oxilia, per studiarle. È così che il «Dream V» aveva messo la prua su Lipari.

Lo smacco subìto dal regime fu assai duro, come e più del previsto. Ne era seguìto anche un giallo, a seguito di una segnalazione che alcuni confinati, prima della fuga, e per cercare di impedirla, avevano fatto alla polizia. Questa spiata, da Lipari, era giunta al capo della polizia fascista Arturo Bocchini, che l'aveva girata al prefetto di Messina, e al responsabile della colonia dei confinati. Ma tutto era rimasto senza conseguenze. Dopo la fuga, Bocchini reagì facendo arrestare il fratello di Rosselli, Nello, che era già stato inviato al confino a Ustica, e facendo fermare la moglie di Carlo, Marion, provvedimento che scatenò un'ondata di reazioni del governo e dei giornali inglesi. Benché il «Dream V» usato per la fuga fosse stato acquistato dal padre della donna, dopo settimane di tensione tra Roma e Londra e per evitare un caso diplomatico, Marion era stata liberata.

Anche don Eduardu passò i suoi guai. Malgrado la cautela e la bocca cucita, era stato subito sospettato per i noti buoni rapporti che manteneva con i confinati, e diffidato a non lasciare l'isola senza permesso delle autorità. La sua casa alla Civita venne perquisita varie volte, di giorno e di notte, a scopo intimidatorio. Lui rimase impassibile, com'era nel suo stile. E alla seconda delle visite notturne, che disturbavano la sua famiglia, si rivolse così ai poliziotti che gli stavano svuotando gli armadi: «Fate quel che volete. Ma se nelle vostre tasche avete carte compromettenti, che vi hanno ordinato di inserire in un mio libro per scoprirle alla prossima perquisizione, arrestatemi subito e dite che le avete già trovate».

Erano in molti a Lipari, anche in mancanza di prove, a essere convinti che il maestro avesse avuto a che fare con la fuga. Due eminenti fascisti locali scrissero alla società che gli aveva rilasciato la concessione per l'agenzia marittima, al fine di fargliela revocare. Il capomusica ne era venuto a conoscenza e lo raccontò al figlio. E Leonida si stupì quando, incontrando per strada i suoi persecutori, don Eduardu li salutò normalmente. «Non preoccuparti, è povera gente» rispose il padre al figlio, senza aggiungere altro. Don Eduardu si era comportato allo stesso modo anche quando, a regime caduto, il colonnello americano Joe, governatore alleato nella fase di transizione dell'immediato dopoguerra, gli aveva chiesto indicazioni sui fascisti liparoti da processare, fornendogli un elenco di nomi: «Io questa gente non la conosco» aveva replicato don Eduardu. «Vendetta e odio non sono mai state buon nutrimento. A me è bastato mortificarli, dimostrandogli che li avevo sempre ignorati.»

La risposta del regime alla fuga si era fatta attendere, ma era stata spietata. Carlo Rosselli, dal suo esilio francese, proseguì la sua attività clandestina opponendosi, sul giornale di Giustizia e libertà, a tutte le scelte del governo fascista, compresa la politica imperiale. Si era schierato con l'Etiopia, auspicando la sconfitta italiana. Tra l'agosto e l'ottobre del '36 aveva preso parte alla guerra di Spagna, organizzando un gruppo di volontari in Catalogna contro l'esercito di Franco. E dopo aver lanciato da Radio Barcellona l'appello «Oggi in Spagna, domani in Italia», era tornato a Parigi nel gennaio del '37, per motivi di salute e per dissensi con gli anarchici italiani presenti sul campo spagnolo.

Per personalità, carisma e per il suo impegno internazionale, oltre che per la sua innata capacità di costruire un'audience crescente sulla stampa straniera riguardo alle iniziative dell'antifascismo in esilio, Carlo Rosselli era ormai diventato l'oppositore più pericoloso del fascismo. E tale era considerato dai vertici del regime. Nel governo, il dossier Rosselli era in mano al ministro degli Esteri, Galeazzo Ciano, il delfino del Duce, nonché suo genero, in quanto marito di Edda, e al capo della Farnesina, Filippo Anfuso. Parola d'ordine era «caccia all'uomo», il primo in grado di trovare la preda sarebbe stato premiato. Per questo, Rosselli era braccato da Bocchini, il capo della polizia che era stato avvertito della fuga e si era infuriato per non essere riuscito a impedirla; da Mario Roatta, responsabile dei servizi segreti; da Michelangelo Di Stefano, capo dell'OVRA, la polizia segreta del regime; e da Santo Emanuele, capo del controspionaggio. Una tale gara tra le strutture poliziesche del regime non poteva fallire.

Rientrato dalla Spagna per una fastidiosa forma di flebite, che gli procurava forti dolori a una gamba, Rosselli aveva deciso di curarsi nella stazione termale di Bagnoles de l'Orme, in Normandia. Qui lo raggiunsero il fratello e la moglie. Si riposavano, si sentivano al sicuro, la sera uscivano per andare a mangiare in qualche bistrot. Non potevano sapere che la rete messa a punto per colpirli ormai cominciava a stringersi.

Il braccio armato che firmò l'esecuzione venne individuato in un gruppo paramilitare neofascista denominato «La Cagoule», che in francese vuol dire passamontagna, perché i suoi militanti usavano questo genere di copricapo per nascondere i volti. I cagoulards erano un gruppo di matrice fascista e ispirazione razzista, colpivano repubblicani, ebrei e comunisti con la tecnica dell'attacco preventivo, sconvolgendo la Francia tra le due guerre con una serie di attentati terroristici.

I Rosselli furono seguiti a distanza, per giorni. La sera del 9 giugno 1937, dopo aver accompagnato alla stazione Marion, che rientrava a Parigi, la loro auto fu bloccata nei pressi del villaggio di Couterne da un commando composto da sette membri, tra cui una donna. Carlo e Nello Rosselli furono uccisi ferocemente con pistole e pugnali. I loro cadaveri, portati via dal luogo dell'agguato, vennero ritrovati dopo due giorni, in un bosco vicino. Dapprima, con una montatura, si era cercato di far ricadere le responsabilità dell'attentato su elementi di estrema sinistra. Poi i responsabili veri furono individuati, ma solo blandamente perseguiti. A poco a poco, nel tempo, e a cavallo tra la fine della guerra e la caduta dei regimi, gli assassini dei fratelli Rosselli riuscirono a sottrarsi del tutto a qualsiasi conseguenza di giustizia.

Qualche anno dopo, a guerra appena finita e nella lontana isola di Lipari, solo uno strano intreccio della storia poteva far trovare, faccia a faccia, ignari, ma attratti da qualcosa di misterioso, Leonida, il figlio di don Eduardu Bongiorno, che Rosselli lo aveva fatto scappare, ed Edda, la vedova di Galeazzo Ciano, che invece lo aveva fatto ammazzare.

III

L'unica colpevole

«Questa lettera non ha data. È la prima. Da Lipari. Pervenutami con la donna che accudiva alle pulizie della casa dove all'inizio abitava Ellenica.
Sulla busta: A Leonida Bongiorno
Originale in lingua francese.»

L'ordinatissimo archivio delle trascrizioni di Leonida si apre con questa introduzione. Altrove, nell'album delle lettere originali ingiallite, degli amuleti, dei petali di rosa e delle ciocche di capelli custodite con la gelosia di quei giorni, il nostro soldato, preoccupandosi forse dell'effetto emotivo che l'apertura di un simile scaffale da museo potesse scatenare, aveva vergato qualche riga di spiegazione per i familiari. «Dedico questi ricordi al mio Edoardino [il figlio] che al tempo di questa favola non c'era, e alla mia "Chevelue" [la moglie], che si avviava verso la strada del mio destino.»

Messaggio essenziale. E di una prudenza preventiva. Leonida aveva messo le mani avanti, come se il tono di queste righe e la parola «favola» potessero bastare a ridimensionare l'intensità della sua storia agli occhi del figlio e della moglie.

In realtà, qualunque cosa avesse detto e scritto il nostro singolare archivista, sarebbe stata contraddetta dall'intimità delle prime righe di Edda, che seguivano.

«Caro Amico, non andrò al teatro, dopo tutto. Se i vostri impegni politici e i vostri svaghi della domenica ve ne danno la possibilità, vorrete essere così cortese di venirmi a fare una visitina?
Sul tardi. Nel pomeriggio.
Dio mi guardi dal monopolizzare il vostro tempo. Ma ho della malinconia.
Del buon vecchio umor nero e desidererei udire delle storie fantastiche, tenere, allegre e buffe.
Ecco il mio appello. W la Repubblica.
Ellenica.»

Dal primo incontro a ridosso della manifestazione sedata dal capopopolo comunista dovevano esser passati pochi giorni. Questa prima lettera e la seconda che segue sono senza data, ma la terza segna il 14 gennaio '46, quattro mesi dopo l'arrivo di Edda a Lipari. Se il primo incontro e la presentazione tra i due erano stati formali, imbarazzati, e in qualche modo sorprendenti (nella Lipari del tempo ci si conosceva tutti, e non era molto frequente essere avvicinati da una donna), la conoscenza dovette essere rapida, e seguita da immediata confidenza. Tale da consentire a Leonida di vezzeggiare subito Edda con il soprannome di «Ellenica» e, a lei, di appropriarsene.
Il tono del messaggio è seducente, capriccioso, scherzoso, con una capacità tutta femminile di mescolare sapientemente i tre ingredienti. Benché insolito, il corteggiamento è esplicito. Il desiderio di vedersi è confessato spregiudicatamente, anche se con il divertimento di lasciare a Leonida la decisione ultima di accettare l'incontro.

Nella seconda lettera, anche questa «in francese. Senza data né indirizzo sulla busta, pervenutami a Lipari e da Lipari, con la stessa latrice della prima» (annoterà Leonida), Edda già sapeva di potersi permettere una richiesta di aiuto.

«Il commissario è arrivato. Ve ne prego. Fate tutto il possibile perché possa uscire da questa casa che mi rompe i piedi e mi gonfia il viso.

La vostra casetta moresca mi ha preso il cuore: adoro quell'entrata, quella scala, quella piccola aria di mistero.

Infine una casa che non è solo camere: qualche cosa che non è data semplicemente perché pago.

Forse lì sarò meno infelice.

Che ne pensate della pioggia?

Ellenica.»

Dunque la casa di don Eduardu, la «casetta moresca» che aveva «preso il cuore» di Ellenica, Edda e Leonida dovevano già averla visitata insieme, magari eludendo la sorveglianza di polizia a cui lei era sottoposta giorno e notte. Appena la vide, Ellenica desiderò andarci a vivere. Leonida saprà accontentarla. Come Edda aveva lasciato intendere, e come il soldato aveva capito, quella casa doveva diventare il teatro della loro storia.

A parte l'infanzia «proletaria e socialista», come lei stessa ebbe a definirla, Edda Ciano non aveva mai vissuto miseramente. L'ascesa al potere del padre l'aveva colta bambina e il matrimonio con Galeazzo Ciano, a soli diciannove anni, l'aveva introdotta a uno stile di vita agiato e aristocratico. Il resto lo aveva fatto la consuetudine cosmopolita, connessa agli impegni del marito, diplomatico, e poi ministro degli Esteri. A Roma, in Cina o altrove, la figlia del Duce aveva vissuto in case meravigliose, amministrato servitù, viaggiato ovunque con dignità da capi di Stato. Anche ai tempi della caduta, quando in Svizzera alloggiò in conventi e manicomi, Edda aveva conservato il privilegio di usufruire di appoggi e assistenza dovuti al suo status. Si può intuire quindi come potesse sentirsi a Lipari, dov'era arrivata in condizione di prigioniera.

A detta della madre, Donna Rachele, che ne aveva sopportato gli sfoghi, Edda era stata condotta al confino dal questore Saverio Polito, lo stesso che si era occupato del Duce dopo il suo arresto, «con il gusto governativo dell'antico cortigiano che può maltrattare il principale decaduto». Donna Rachele, nell'estate del '43, ne aveva sperimentato la rudezza quando, dopo essersi occupato di suo marito, Polito era andato a prendere lei e i suoi figli per condurli al soggiorno obbligato della casa di Rocca delle Carminate. Durante il tragitto in macchina, in segno di sfregio, Polito aveva preso la mano di Donna Rachele e se la era poggiata sul pene, continuando a molestarla per tutto il viaggio. Processato e condannato a Salò, per questo comportamento, Polito aveva poi fatto valere la condanna fascista come merito, al ritorno della democrazia. Così, era stato riammesso in servizio e incaricato di nuovo della sorveglianza ai Mussolini. E dopo aver preso in consegna Edda e averla condotta a Lipari, l'aveva lasciata nell'isola «in un tugurio lurido, e senza mezzi».

Al suo arrivo, la contessa pesava quarantadue chili, era pelle e ossa e camminava curva sulle spalle, appoggiandosi al braccio di un'amica. Non mangiava, beveva poca acqua, quando poteva si teneva su con gli alcolici. Con i suoi lutti recenti dipinti sul volto, usciva da un esaurimento nervoso che in Svizzera avevano faticato a curarle.

Curiosità e attrazione vitale per un uomo, da tempo

non le capitavano. Ma era anche per necessità che si aggrappò a Leonida. Lui ne era stato turbato: «Le nostre concezioni politiche ci dividevano profondamente, ma sentivo di doverla aiutare». Invece per Edda, che era dotata di grande charme e ironia, innamorarsi di un comunista poteva essere divertente.

In realtà si sentiva perduta. Sola, distrutta, impoverita, privata dei suoi tre figli, che la Svizzera aveva trattenuto, rifiutandosi di rimpatriarli con la madre, Edda non aveva altro patrimonio da spendere che la sua testardaggine e la sua intelligenza. Con il confino, la nuova Italia uscita dalla guerra aveva accantonato il suo caso. Ma solo temporaneamente. A leggere le accuse che accompagnavano l'ordinanza che l'aveva destinata a Lipari, per lei restava più che concreto il timore di dover rispondere di colpe terribili.

La legge che le infliggeva il confino era stata frettolosamente varata all'indomani della Liberazione, il 26 aprile del 1945. L'articolo 3 di questa legge prevedeva misure di polizia per le persone che avessero «tenuto una condotta ispirata ai metodi e al malcostume del fascismo». Fin qui, non c'erano dubbi che il caso di Edda potesse rientrarci.

Ma nelle motivazioni che accompagnavano il provvedimento figuravano altri addebiti, la cui enormità non sembrava aver turbato né la coscienza politica, né il rigore burocratico della commissione chiamata a valutare il destino personale della figlia del Duce.

Stando alle carte, Edda doveva discolparsi per «aver con continuità ispirato e dato il proprio contributo alla politica estera del regime fascista che condusse all'alleanza con la Germania e alla guerra». Ancora, per «aver mantenuto rapporti amichevoli e di collaborazione con numerose personalità politiche tedesche, dimorato lungo tempo in Germania, contribuendo in modo rilevante ad asservire la politica estera italiana a quella tedesca». E per «avere a fine di speculazione venduto il memoriale scritto dal proprio marito (...) in quanto in esso Ciano, allora ministro degli Esteri, afferma tra l'altro che Edda, recatasi a Palazzo Venezia, aveva detto al padre che il Paese voleva la guerra e che la continuazione della neutralità sarebbe stata una vergogna».

Queste accuse venivano specificate nelle lunghe pagine dell'ordinanza con dettagli e particolari che dovevano dimostrarne l'inoppugnabilità. Nessuno degli estensori del documento, che era servito a spedire Edda a Lipari senza consentirle quasi di mettere piede sul suolo italiano, si era posto il problema che a un qualsiasi lettore, anche sprovveduto, dell'ordinanza, balzava subito agli occhi: se davvero Edda era la persona che aveva provocato l'entrata in guerra dell'Italia, come mai le veniva imposto solo il confino? Per quale ragione non era stata chiamata a rispondere, se non davanti alla corte di Norimberga, a una qualsiasi Corte d'Assise italiana? E se era stata una criminale di guerra così efferata, perché non la si era arrestata, né interrogata, né messa a confronto con testimoni in grado di farle confessare le sue terribili responsabilità?

Edda temeva pertanto che il confino fosse solo un destino provvisorio, in attesa di una decisione più dura sulla sua sorte. Morti il padre e il marito, caduto il regime, era a lei che sarebbe toccato pagare tutte le colpe del fascismo. Doversi difendere come unica superstite di quegli anni. Finire i suoi giorni in carcere, lontana dai suoi figli. Forse, rimpiangere la lontananza e la desolazione di Lipari. E perfino il suo nuovo amico, a cui cominciava ad affezionarsi.

IV

Il partigiano Leonida

Come tutti i figli di persone importanti e come prediletto di don Eduardu, anche Leonida Bongiorno aveva un complesso rapporto con il padre. Il quale, a sua volta, consapevole del suo ruolo e affezionato al suo personaggio – metà uomo di spettacolo con il trombone, metà austero leader politico socialista semiclandestino –, aveva pensato bene di mandare Leonida a studiare fuori. Abbandonando l'isola e crescendo lontano dalla protezione paterna, riteneva don Eduardu, suo figlio si sarebbe sottratto innanzitutto all'adolescenza oziosa e sonnolenta dei suoi coetanei; e trovandosi fuori a spese della sua famiglia, dignitosa ma certo non agiata, forse avrebbe sviluppato un maggiore senso di responsabilità. Il resto era nelle mani del destino: c'era pure il caso che il ragazzo, una volta partito, finisse col piantare altrove le sue radici e non facesse più ritorno a Lipari.

Nel 1929, a soli diciotto anni, Leonida era stato spedito a Bologna, per studiare economia all'università. Si era laureato bene e in tempo, aveva imparato due lingue, fatto lì le prime esperienze politiche, avvicinandosi agli ambienti clandestini del Pci. Già a ventun anni, prima di discutere la tesi, fu chiamato come contabile am\-ministratore da un'impresa di costruzioni, con gran soddisfazione dei suoi genitori.

Qualche grattacapo, semmai, Leonida lo aveva dato per ragioni sentimentali. A un certo punto s'era innamorato di una donna più grande e sposata. Don Eduardu, che si trovava in Emilia con la banda per una serie di concerti, lo raggiunse a Bologna. E in una notte di passeggiate sotto i portici del centro, lo convinse a tirarsi indietro.

Benché giovane, bello, apprezzato sul lavoro e dotato di una laurea che per quei tempi era un sicuro strumento di affermazione, Leonida aveva un'altra grande passione: le armi. Si sentiva un soldato. Aveva fatto domanda per i mezzi speciali della Marina, sperando che gli facesse premio l'origine eoliana. Poi, sorprendentemente per un siciliano, era stato preso negli Alpini. Distinguendosi subito per merito e motivazione, venne promosso. La guerra lo trovò tenente del battaglione Ceva, al comando di una schiera di soldati provenienti in gran parte dalla provincia del Nord-Ovest, Piemonte e Liguria. Prima destinazione, in Grecia. Poi, in Francia.

Nell'armadio dei ricordi, che custodiva le lettere di Edda, erano stati conservati in buon ordine i cinque libri, scritti da Leonida, dedicati ai lunghi anni di guerra, e stampati da una piccola casa editrice siciliana: un interminabile racconto minimalista di vita quotidiana, incentrato sulla sopravvivenza. La fame, il freddo, la mancanza di un riparo, le difficoltà provocate dal brusco voltafaccia dell'Italia, dopo l'8 settembre. I tedeschi e gli americani. I giorni e i mesi infiniti in attesa di poter rientrare in patria. Il momento del «tutti a casa». Fin qui, la storia del tenente degli Alpini Leonida, la «Penna Nera» siciliana, non era stata diversa da quella di migliaia e migliaia di militari italiani.

Soldati abbandonati a metà strada, senza ordini né direttive e senza sapere neppure a chi rivolgersi. Soldati che passavano in pochi giorni da alleati a prigionieri dei tedeschi. Soldati che si arrampicavano in montagna, com'era successo anche a Leonida, che aveva trovato rifugio tra le file dei partigiani francesi delle Forces Françaises de l'Intérieur (FFI). Soldati che, incontrando gli americani, scoprivano per la prima volta la modernità, uomini con un diverso colore della pelle, carne in scatola, sigarette e pezzi di cioccolata.

Ma c'è un altro aspetto che rivela la lettura dei diari di guerra di Leonida: il temperamento, il coraggio, il gusto per la vita in compagnia, i suoi sentimenti e le passioni. Leggendo la prosa nervosa del tenente Bongiorno, sembra di conoscere l'altra metà di don Eduardu. Tanto il maestro era riservato, quanto il figlio appariva ciarliero, generoso, pronto a far conoscenza con due battute. Inoltre, gli piaceva scrivere, aveva letto molto e si capisce perché gran parte della storia con Edda sia rimasta compresa tra le righe delle lettere.

«Mio buon Goffredo» scriveva Leonida il 21 marzo del 1941 all'amico Goffredo Bavarese, rimasto a Roma «oggi, 21 marzo, è primavera, e dal cielo pare scenda nell'animo tanta pace. Nei prossimi giorni mi aspettano duri combattimenti. Ho trentacinque uomini da portare all'assalto. Li considero fratelli. E dietro i loro volti scorgo le loro madri. In queste ore di vigilia parlo al tuo cuore. E ti prego, qualora dovessi "inciampare", di parlare con questa voce a mia madre, mio padre e mio fratello.»

Dall'8 settembre 1943, giorno dell'armistizio, il suo quartier generale era stato a Saint Chamas, non lontano da Marsiglia. Se ne era dovuto allontanare, per salire in montagna, dopo essere caduto prigioniero dei tedeschi.

Come ufficiale italiano, gli era stato ordinato di giurare fedeltà al Führer: si rifiutò e fu rinchiuso in una fortezza, insieme a un sottotenente di Bolzano. Nel febbraio del '44, sarebbe finito davanti a un plotone d'esecuzione se non fosse riuscito a scappare.

Ed è rivelatore di un'acuta ironia, al cospetto di uno dei momenti più difficili della vita – quando si aspettava la condanna a morte – il racconto dei giorni di prigionia e dell'evasione. Tutto fondato su una volontà di ferro e su una straordinaria furbizia siciliana: l'amicizia con un colonnello tedesco «petomane», di cui Leonida sopportava e descriveva minuziosamente la terribile e continua flatulenza. Nessuno, a causa del cattivo odore, resisteva a star vicino a quell'ufficiale. Leonida, invece, si era offerto di accompagnarlo e aiutarlo in molte incombenze, e ne aveva guadagnato la fiducia. Così riuscì a sapere in anticipo del destino funesto che lo aspettava, ed ebbe modo di darsi alla fuga, approfittando dell'ora d'aria. Stranamente per un uomo di quella generazione, Leonida raccontava le sue avventure senza retorica: anzi, annotava con un sorriso angherie, frustrazioni e umiliazioni della prigionia. Come quella tremenda imposizione di stare chiusi in cella senza servizi igienici, obbligati a usare per le proprie necessità un vecchio pentolone, di quelli che nei giorni successivi sarebbero stati riutilizzati per il rancio.

È una guerra infinita, quella del tenente Bongiorno. Dal fronte greco a quello francese. Poi, dall'8 settembre del '43 fino al giugno del '45, due mesi dopo la Liberazione, Leonida dovrà aspettare quasi due anni per riattraversare la frontiera e ridiscendere lo Stivale verso la Sicilia. Nel frattempo, c'è la Resistenza con i francesi, che lo dotano di una carta d'identità falsa, intestata al contadino corso Paul Zanettì. C'è l'incontro con gli italiani emigrati in Francia prima della guerra. C'è una drammatica riunione alla Casa d'Italia di Marsiglia, in cui Leonida, nello stupore generale, parla fuori dai denti: «E adesso io che ho fatto la guerra con i tedeschi e la resistenza con i francesi, dovrei accettare di rinchiudermi ad Aubagne, in un campo di concentramento, sorvegliato da algerini e marocchini, per volere del generale De Gaulle?».

Alla fine, saranno gli americani a riaccompagnare a Bordighera, pochi chilometri dopo la frontiera italiana, il malridotto reduce italiano. Ma insieme con la fatica della guerra, i ricordi, le paure di quegli ultimi giorni strappati alla vita, nei diari di Leonida resteranno impresse tre grandi storie d'amore, di notti infuocate di passione, di promesse mancate e strazianti separazioni. Con tre donne, destinate a lasciare un segno nel cuore indurito del soldato.

Il viaggio di Leonida si concluse sulla banchina di Milazzo, da dove oggi partono, quando partono, gli aliscafi per le isole Eolie. Rimase sorpreso quando non trovò ormeggiata la sagoma familiare della «Santa Marina», la nave che faceva servizio giornaliero per Lipari, e che le bombe della guerra avevano mandato a fondo. Al suo posto, annotava il soldato, segno dei tempi, era arrivata a sostituirla «un'unità della marina austro-ungarica, il Nesazio».

Era esausto. Pensava di aver visto e vissuto tutto quello che a un uomo può capitare lungo una vita. A trentaquattro anni, Leonida si sentiva stanco. Non immaginava certo che la sua più grande avventura stava solo per cominciare.

V

La petite Malmaison

La casa del Timparozzo, ribattezzata da Edda la *Petite
Malmaison*, è oggi il magazzino segreto di Edoardo Bongiorno, il figlio di Leonida e nipote di don Eduardu, che
ha raccolto al suo interno, in attesa di restaurarli, alcuni
pezzi preziosi della sua collezione di antiquario. Da via
Garibaldi, il secondo corso di Lipari che collega la piazza della Civita a Marina Corta, si gira a sinistra per la salita San Bartolo, che porta alla cattedrale di Lipari. Un
piccolo portone, una scala, un pianerottolo e tre stanze,
quasi in fila. Ancora una scala interna, la cucina, arram-
picata sui tetti e la porta del terrazzo, dove Leonida ed
Edda passavano le loro nottate.

Parlavano. Parlavano sempre moltissimo, e all'inizio
lui era irruento. Lei lo trovava «buffo», si divertiva ad
ascoltare i suoi racconti epici sulla guerra appena finita.
Di tanto in tanto, all'inizio, riusciva pure a intimidirlo.
Leonida, da soldato, da alpino «Penna Nera», le raccontava il dramma di un esercito lasciato senza ordini in
mani nemiche. Lei lo prendeva in giro, come a dirgli
«quanto la fai lunga», e lo smontava con soprannomi
guerrieri scherzosi.

Lo chiamava «Baiardo», dal nome del cavallo che
contende all'Orlando furioso il ruolo di protagonista nel
poema di Ludovico Ariosto. O lo apostrofava «Lecret»,

pensando a un generale sudamericano che fu tra i liberatori di Cuba nel 1898. Tra innamorati, i nomignoli sono segni d'affetto. Ma quella di Edda era pura snobberia, divertimento con un pizzico di sfottò.

Pur avendo alle spalle vite tempestose, a vederli vicini non si potevano immaginare due tipi più diversi. Al cospetto di Edda, Leonida era sempre eccitato, entusiasta, pieno di iniziative, incapace di silenzi, che riempiva passando con naturalezza da un discorso all'altro. Come tutti i comunisti del dopoguerra, aveva nella politica una fede un po' mistica, si sentiva «al servizio delle masse» e del suo partito, militante a tempo pieno, in marcia «verso il mondo nuovo».

Edda invece era irrequieta, ma anche fredda, cinica, riservata. Dopo anni trascorsi tra cancellerie, ministeri e ambasciate, la politica che da sempre aveva respirato, e la storia che aveva attraversato, le avevano lasciato addosso una sordida amarezza e un dolore represso. Parlava poco del padre, soprattutto ricordava di lei bambina, addormentata su una poltrona della redazione del «Popolo d'Italia» a tarda notte, o svegliata dalle corde di un violino, lo strumento che Benito Mussolini le suonava per cullarla e che, piano piano, le venne in odio.

Quando Edda, grazie all'aiuto dei Bongiorno padre e figlio, si sistemò al Timparozzo, provò una sensazione di ristoro. Per lei che veniva dal tugurio dov'era stata abbandonata dalla polizia, quella casa era molto dignitosa: arredata e fornita di tutto, con un vero bagno e persino una donna che andava tutti i giorni a fare le pulizie. Ogni tanto, di ritorno dalle sue tournée musicali nel continente, si affacciava anche don Eduardu. In un modo o nell'altro, le giornate trascorrevano tra un giro sul corso e qualche piccola spesa. La sera, però, la malinconia era in agguato, e penoso, per Edda, il peso della solitudine.

A Leonida non sarebbe mai venuto in mente di andare a trovarla a tarda ora, se lei stessa non avesse invocato «una visitina». Giunto alla *Petite Malmaison*, una domenica ch'era buio, dopo aver bussato alla porta socchiusa e chiesto «permesso?», trovò Edda a letto sotto una zanzariera, coperta solo, ma non del tutto, da un lenzuolo. «Venite, accomodatevi, perdonate la mia stanchezza» l'aveva accolto. Lui riuscì a non tradire il suo imbarazzo. Quella sera lasciò perdere i ricordi di guerra. Le aveva parlato di Lipari, di Vulcano e della sua gente, incoraggiandola a non sentirsi prigioniera e favoleggiando di luoghi, miti e storie. A gesti, nella penombra della *Petite Malmaison*, disegnava le scene dei suoi racconti, man mano che la sua voce calda le descriveva.

Era attratto da Edda, e almeno a se stesso non lo nascondeva. Non gli era mai capitato prima, ma provava anche una forma di soggezione per quella donna misteriosa. Lei lo ascoltava con gli occhi socchiusi, con un'aria trasognata, distratta, come se avesse sempre altro da pensare. Leonida parlava in italiano e lei, con straniamento, gli rispondeva spesso in francese o in inglese. Lui declamava l'*Odissea* a memoria, spiegava orgoglioso che forse Ulisse era passato vicino ai faraglioni di Lipari. Edda gli citava versi di Byron.

Se c'era una caratteristica di Leonida, era la capacità di entrare subito in confidenza con tutti. Era uscito vivo dalla guerra anche per questo, per aver saputo toccare il cuore di tedeschi, francesi, americani ed essersi saputo barcamenare anche nei momenti più difficili. Nella sua vita non aveva mai provato disagio.

Forse perché Edda era differente da tutte le altre, cominciò a raccontarle un giorno anche del suo passato sentimentale. Una cosa del genere, tra uomini – e soprattutto tra uomini meridionali – è normale. Ma che potesse accadere tra un partigiano comunista e la figlia del Duce al confino, Leonida non l'avrebbe mai immaginato.

A parte qualche esperienza occasionale, come quella descritta con l'abituale ironia nei suoi diari, con una fascinosa francese di nome Françoise, che l'aveva conquistato con il suo sguardo strabico, per Leonida – nei lunghi anni da soldato – c'erano state, come sappiamo, solo tre donne degne di essere ricordate. Il pretesto per parlarne con Edda fu il tentativo, fallito, di riallacciare una delle tre.

Una brutta delusione. Lei si chiamava Gianna. Si erano visti per caso una sera del settembre 1942, quando Leonida, rientrato dal fronte greco, aspettava di trasferirsi in Francia dal Piemonte con il battaglione Ceva. Entrò assetato, al termine di un'esercitazione, in un bar vicino al comando degli Alpini in Val d'Inferno, vicino Pizzo d'Ormea. Aveva visto una bici lasciata sulla porta del locale e la chiese in prestito. Lei gli rispose: «È mia, può prenderla». E lui la usò per un'ora, e la riportò indietro. Quale non fu la sua sorpresa, due giorni dopo, nel ricevere un bigliettino in caserma: «Sono a Trappa. Vorrei rivedervi. Riparto subito. Vi aspetto in stazione. Gianna».

Il tenente Bongiorno non poteva neppure allontanarsi dal reggimento. Ma ci riuscì lo stesso. Si diresse verso la stazione, senza sapere neppure chi avrebbe incontrato: la riconobbe subito, stretta in una pelliccia da signora. Lì per lì non seppero cosa dirsi, lei aveva aspettato per ore, soffrendo i quindici gradi sottozero nella stazione con i vetri sfondati. Nel frattempo il treno era arrivato, c'era poco tempo, doveva partire. Leonida decise di seguirla per un po' fino a Ceva.

Lei fu gentile: vedendolo infreddolito, gli offrì di scaldarsi le mani sotto la sua pelliccia. Parlandogli senza imbarazzo, gli fece capire di essere una ricca signora, molto nota in paese, dove viveva in una villa con servitù e tate per i bambini. Il primo incontro finì lì, impossibile e inequivocabile. Alla stazione di Ceva, si salutarono con la promessa di rivedersi presto.

Non andò meglio il secondo incontro. Si erano ritrovati a Mondovì, un paese non distante, in una stanza che Leonida aveva preso in affitto per passare insieme la notte. Ma la padrona di casa, una mezza pazza che aveva in odio i soldati, trovandoli abbracciati, li cacciò via. Così, erano finiti ad aspettare l'alba in una pensione assai modesta, «I tre limoni», di cui Leonida conosceva il proprietario. Ma l'irruzione a sorpresa, della padrona di casa, aveva rovinato tutto.

Provarono a rivedersi ancora, tra molte difficoltà, prima della partenza del battaglione per la Francia. Ci fu il tempo di scattare una fotografia. Poi, come accadeva sovente a quei tempi, la guerra ebbe il sopravvento. Al ritorno, Leonida, che, esagerando come sempre, la considerava «la sua compagna ideale», si era messo a cercarla. L'aristocratica signora, in una lettera giunta a Lipari proprio mentre lui si trovava con Ellenica, gli spiegò che considerava tutto finito.

Orgogliosamente – e sicilianamente, verrebbe da dire – Leonida prese male il rifiuto. Come un adolescente, si sfogò con Edda. Lei, nell'incanto di una spiaggia assolata dove si erano fermati a parlare, non aveva saputo che dirgli. Ma gli scrisse poco dopo.

«Penso a voi. Per essere più esatti al brutto colpo che avete ricevuto stamani. È sempre duro essere congedati: anche se il congedo è causato dai più nobili motivi e avvolto nelle parole più dolci. Avrei voluto dirvi la mia comprensiva simpatia (anch'io so, per averla data, l'amarezza delle cose che finiscono). Ma voi eravate troppo avvilito e risentito, e io troppo distratta dal grande sole. Dicevate stamane: "Non fa niente". È vero. Ma al momento fa male lo stesso e se si pensa che un giorno non se ne soffrirà più, si diventa ancora più tristi.»

Edda e Leonida erano diventati amici, ma qualcosa stava già per cambiare. Uscivano più spesso, lui aveva un talento formidabile per affrontare le mille pratiche questioni della vita eoliana e delle costrizioni a cui era sottoposta la sua illustre confinata. Erano sempre pronti una barca e un rematore, per godere del sole appena spuntato. E c'era spesso, grazie alla conoscenza delle autorità, un permesso speciale per allontanarsi, seppure scortati. Poi, ricorrente, c'erano tutta l'epica e la mitologia delle Eolie, che Leonida conosceva e interpretava a memoria, parlando anche in latino, perché questa era una delle esibizioni che gli riusciva meglio.

Avendo avuto una vita sentimentale amara, Edda si compiaceva del calore e dell'esuberanza dell'amico. Alle domande di Leonida sulla sua vita coniugale, rispondeva che mai aveva pensato di allontanarsi da Galeazzo, malgrado i suoi numerosi tradimenti, per il ruolo pubblico che entrambi ricoprivano. Ma c'era un'altra ragione che Leonida faticava a capire: «Perché lui era ammodo». Con le stesse parole, la contessa motivava la solidarietà che l'aveva unita fino all'ultimo al marito, il suo tentativo disperato di salvargli la vita, e la mancanza e il rimpianto di lui.

Una volta, lasciando Leonida senza parole, gli raccontò che dopo aver avuto certezza delle molte amanti di Galeazzo, andò a parlarne con il padre a Palazzo Venezia. Mussolini l'ascoltò e poi, congedandola sbrigativamente, le sibilò: «Una donna italiana fascista deve saper portare le corna».

Tutto ciò non aveva impedito a Edda di avere a sua volta amanti e di innamorarsene, talvolta blandamente, senza mai rimpiangerli, come invece faceva Leonida con le sue donne. Per questo lei aveva continuato a sorridere, e sorrise quando il suo amico, proseguendo nel racconto, le rivelò altre due storie, vissute in guerra. La prima a Valence sur Rhône, in Francia, con un'affascinante spagnola di nome Consuelo che, approfittando di un viaggio del marito, le si era letteralmente infilata in camera mentre si faceva la barba. Il giorno dopo si erano dati appuntamento al «Croix d'Or», l'albergo più elegante di Valence, al cui primo piano, purtroppo per loro, aveva preso stanza il quartier generale italiano. Benché Leonida, com'era solito fare, colorasse il ricordo, descrivendo il «rosso fuoco» delle labbra e i «capelli neri e lucenti» di Consuelo e lamentando la sfortuna di averla incontrata alla vigilia dell'8 settembre, per Edda era lampante che si fosse trattato di un fugace «incontro tra adolescenti». Leonida, invano, forse con troppa confidenza, s'era affannato a descrivere i dettagli di quel dolce pomeriggio, l'«amore carezzevole», l'audacia, prima di salutarsi, di riempire la vasca da bagno e stare insieme nell'acqua, scambiandosi baci fino alla fine.

Per pura cattiveria e per divertimento, Edda, come sempre, era stata altrettanto dura nel liquidare – «Girotondi con pastorelle!» – anche la terza storia di guerra di Baiardo, quella con Margot, nativa dei Pirenei. L'aveva incontrata in una pensione di Saint Chamas, vicino Marsiglia, dove Leonida aveva trovato rifugio, precario, dopo l'arresto da parte delle SS per il mancato giuramento al Führer e la sua evasione, agevolata dall'amicizia con il colonnello petomane.

In una pensione gestita da una vedova, Madame Denise, era stato preso come uomo di fatica. Dormiva in una specie di stalla popolata di cimici e fu incaricato, la notte, di rifornire di carbone la caldaia del riscaldamento. Dal momento che gli toccava abbandonare il suo pagliericcio in ore gelate, una volta entrato tra i muri riscaldati della pensione e caricata la caldaia, andava a bussare alla porta di Margot. Dopo un certo numero di notti passate insieme fino all'alba, si erano innamorati. E se Leonida non fosse dovuto scappare all'improvviso, perché aveva di nuovo le SS alle calcagna, anche questa storia non sarebbe finita nello strazio.

Forse Edda era così dura con Leonida perché cominciava a innamorarsene. Era cauta. Gli spiegò che non aveva l'abitudine di concedersi facilmente, perché la cosa che amava di più era «sentirsi pulita dentro». Lui resisteva, cercava di resisterle, ma il più delle volte la soffocava di attenzioni. Se le sentiva esprimere meraviglia per la precoce fioritura dei mandorli, nel tiepido inverno liparoto, l'indomani si presentava con un cesto di quei fiori. E lo stesso accadeva, di stagione in stagione, con le zagare, le rose, le ginestre, che riempivano la *Petite Malmaison* di colori e profumi.

Edda avvertiva che anche Leonida, al di là della sua esuberanza, era incerto. Per usare le sue parole, entrambi si trovavano su una «china scivolante e insaponata». Chi si fosse lasciato andare «senza resistenze, tanto accanite quanto inutili» avrebbe conosciuta «la più dolce delle sofferenze, quella di credere di essere amato». Illudere senza illudersi, lasciarsi andare senza mettere radici, «credere di essere amato» senza mai convincersene fino in fondo: era questa la sciarada della contessa, piegata dalla durezza di una vita che non le aveva risparmiato nulla.

Ma era anche questo il suo modo di concedersi a una storia, come quella con Leonida, imprevedibile, lontana da ogni logica, eppure voluta da lei dal primo incontro per strada durante la protesta contro il vescovo, dal primo bigliettino che implorava aiuto contro l'«umor nero». Era per spingere il partigiano a superare i suoi dubbi: quelli di un comunista che stava per mettersi con la figlia del Duce.

Tutto accadde poco prima di Pasqua, sulla terrazza della *Petite Malmaison*. Lo lasciava intendere un appunto frettoloso scritto sul retro di una cartolina sdolcinata, di quelle – molto kitsch – che usavano allora gli innamorati: «Che ne pensate di quest'idillio romantico?» chiedeva Edda «Io l'ho trovato semplicemente affascinante. Mi vien da ridere forte ogni volta che ci penso. Si sarà visto e udito tutto».

E in un'altra illustrata «amorosa», lucida, colorata a tinte accese (si vede che il genere le era piaciuto), sono disegnati due cuori, uno con un lui e l'altro con una lei. Al centro: «Baci e carezze» a cui Edda aveva aggiunto di suo pugno «Che momenti!». E ancora, un accenno agli «amori esotici» in un altro biglietto, gelosamente archiviato da Leonida.

La primavera eoliana inoltrata era diventata splendida. Deserte le insenature di Vulcano, di fronte ai Faraglioni di Lipari e nel mezzo della rotta di Ulisse. E, per il tempo, assai succinti i costumi da bagno di Edda, come si può vedere dalle foto che si lasciava scattare, in posa indigena stile «Ammutinati del Bounty». La sera, la *Petite Malmaison*, con l'insegna scolpita sul legno da Edda, era molto accogliente. Tutti i liparoti andavano a dormire prestissimo. Nel paese al buio, l'unica luce che risplendeva sulla terrazza, era rimasta quella delle stelle e della luna. Sotto quel cielo, i due innamorati si abbracciavano quasi tutte le notti.

«Quant'è bello sognare in due qualche volta» sospirava Edda, in una delle rare volte in cui si lasciava andare. E subito dopo, trattenendosi: «Anche se ognuno persegue i suoi sogni». Poi, una strana richiesta: «Ellenica, il paradiso sconosciuto... Questo il titolo del libro che scriverete per lei». E di nuovo: «Adoro le vostre effusioni in inglese!». Uno di quei complimenti destinati a eccitare l'orgoglio mascolino di Leonida. Che ormai, anche lui, aveva perduto la testa.

VI

La Baia di Ellenica

Prima di arrivare a Lipari come confinata, Edda non aveva mai visto, e neppure potuto immaginare, i livelli di arretratezza della vita quotidiana nel Sud del Paese. I suoi contatti con la realtà siciliana risalivano alla guerra ed erano avvenuti in circostanze eccezionali; si era trovata come crocerossina e con l'unico obiettivo immediato di fornire solidarietà e garantire la sopravvivenza.

La prima volta, nel marzo del 1941, era stata ad Augusta, ironia del destino al porto, a metà strada tra Catania e Siracusa, dove sarebbe approdata e da cui sarebbe dovuta ripartire quattro anni dopo per il confino. Era arrivata con la Croce Rossa per dare soccorso ai feriti della battaglia navale di Punta Stilo. «Un incubo» nei suoi ricordi «quella povera carne umana bruciata, lacerata, tagliata a pezzi...»

La seconda volta, negli ultimi giorni del regime, era a Palermo poche settimane prima del fatale 25 luglio '43, che, oltre a quella del Paese, avrebbe cambiato le sorti del padre e del marito. Non immaginando così vicino il disastro, che pure aveva intuito, Edda scrisse a Galeazzo per descrivergli la gravità della situazione e invocare disperatamente aiuti. «A Palermo lo spettacolo di desolazione è piuttosto forte» esordiva. «La città vicina al porto è praticamente a terra e anche parte delle vie principali è semidistrutta. A parte i morti, ci sono i feriti e quelli che hanno perso praticamente tutto, muoiono di fame e di freddo.» Poi, sempre più crudamente, proseguiva: «Dopo l'ultima incursione del 9 maggio, la popolazione è rimasta sei giorni senza pane, un po' perché colpiti i depositi, molto perché non uno dei 300 forni di Palermo ha funzionato. Nessuno ha pensato di farli riaprire d'autorità. Qui» continuava «oltre il disordine e il bombardamento, c'è la fame vera. C'è bisogno di medicinali, di indumenti, di mezzi di trasporto per far sfollare questa povera carne da macello nelle campagne. E in quanto ai militari, mi è stato detto dal segretario federale che danno spettacolo di paura peggio dei civili, fuggendo come lepri nelle campagne. Ma questo è niente. Finita l'incursione, invece di precipitarsi ad aiutare se ne stanno tranquilli, a differenza dei tedeschi che si danno da fare. La popolazione non poteva soffrire i tedeschi, ora li ammira per il senso organizzativo e anche altruistico. Per riassumere» concludeva «manda viveri. Soprattutto pane e pasta (non domandano altro), medicinali e indumenti. Io sono in un ospedale civile, questa gente è nuda nei loro letti, i loro superstiti famigliari vengono a domandare il pezzo di pane che il loro congiunto risparmia sul suo vitto. Per ora si dice ancora, il DUCE non lo sa. Ora lo sai».

Queste due terribili esperienze – vissute, come emerge dalla sua testimonianza diretta, con grande carattere e forza di volontà e soprattutto con la consapevolezza che in quelle condizioni il Paese e il regime stavano franando – non le avevano dato la possibilità di capire che l'arretratezza era in qualche modo connaturata alla Sicilia. Aveva dovuto, invece, rendersene conto direttamente a Lipari, per le terribili condizioni in cui si era trovata appena sbarcata (il «lurido tugurio» di cui scriveva a Donna Rachele). Solo dopo un po' di tempo e dopo il ristoro procuratole dall'affettuosa assistenza di Leonida e della sua famiglia, aveva cominciato a capire che nell'isola tutto era rimasto fermo a un secolo prima.

Non c'erano quasi automobili, né una vera strada. La moglie di don Eduardu, che con il suo stipendio da insegnante era l'unico pilastro affidabile del bilancio familiare, andava da Lipari a Canneto a piedi. I due paesi distavano in linea d'aria cinque chilometri, ma a dividerli c'era una montagna (oggi attraversata da un tunnel): per arrivare e tornare, occorreva arrampicarsi per ore lungo sentieri. Asini e muli erano ancora i mezzi di trasporto merci più diffusi. E a questi s'affidavano, quando li incontravano, i viandanti.

La situazione, lo stato di salute, l'abbigliamento cencioso di buona parte della popolazione ricordavano quei quadri settecenteschi in cui è descritta la vita contadina dell'epoca medievale e feudale. A parte l'industria di estrazione della pomice, già falcidiata dalla pesante emigrazione di inizio secolo, la trasformazione di Lipari in meta turistica doveva ancora realizzarsi, mentre l'utilizzo come colonia penale ne aveva, se possibile, aumentato la desolazione.

Curiosa com'era, Edda, nelle sue passeggiate sul corso e tra i vicoli che vi si affacciavano, di tanto in tanto alzava lo sguardo verso portoni, ormai consumati dall'abbandono, che un tempo erano stati l'ingresso di palazzi eleganti, con i loro stemmi nobiliari scolpiti sulle facciate. Era così l'entrata della casa in cui aveva vissuto, in vico Sparviero, Emilio Lussu, uno dei tre confinati fuggiti per mare nel '29, insieme a Carlo Rosselli.

Marinai e pescatori in grandissima parte navigavano

a remi e gettavano le loro piccole reti in prossimità delle coste dell'isola. A eccezione di Leonida, uno dei pochissimi uomini alti e robusti, come Edda ebbe modo di apprezzare, gli isolani indigeni erano magri, brevilinei, con fasci nervosi e muscolari bene in vista, su corpi generalmente sottosviluppati per cattiva alimentazione nell'adolescenza.

Quando Leonida, con l'entusiasmo dei primi giorni d'amore, le propose per la prima volta una gita a Vulcano, l'isola più vicina a Lipari, separata solo da uno stretto braccio di mare di mezzo miglio, a Edda sembrò una follia. Non immaginava neppure che solo remando si potesse raggiungere un'altra isola. Fino ad allora – era la fine di marzo, la luce del pomeriggio cominciava ad allungarsi – insieme erano andati alla spiaggia del Lazzaretto, non lontano dal paese.

Per una di quelle ordinarie confusioni siciliane tra morte e vita, il Lazzaretto era una sorta di discarica umana dove venivano abbandonati a languire – e a morire – i malati incurabili, con la promessa di un'assistenza, inevitabilmente carente, in epoca in cui a nessuno era data certezza di campare. Raggiungibile solo dal mare, o attraverso un impervio sentiero, l'ospedale degli incurabili, chiamiamolo così, venne istituito a metà dell'Ottocento, a seguito di un'epidemia di peste. Aveva continuato a funzionare, si fa per dire, fin quasi alle soglie della guerra. Poi era stato abbandonato, ma continuava a essere un precario rifugio di gente senza speranza.

Nello stesso tempo, trovandosi vicino alla baia dov'è oggi il porto di Pignataro, ed essendo saltuariamente collegato con barche di rematori, che accompagnavano i parenti degli ammalati ad assisterli, e più spesso a riportarne indietro le salme, il posto, per il solo fatto di essere frequentato, divenne una spiaggia. Sulla quale, fin dalle prime tiepide mattinate di sole, passeggiavano insieme i moribondi e la gioventù liparota, i ragazzi più audaci che amavano cominciare molto presto la stagione dei bagni.

Sulle barchette che andavano e venivano dal Lazzaretto come piroghe, sedevano accanto giovani a torso nudo e dolenti sorelle, o prossime vedove, di malati terminali, ammantate di nero. Ma una donna a pancia scoperta in quegli anni a Lipari non s'era mai vista, anzi non s'era mai visto un costume a due pezzi. La sola idea che una donna potesse fare il bagno men che vestita era proprio impensabile.

Toccò a Leonida ed Edda rompere anche questa convenzione. Perché poi Leonida, di tutta l'isola, scelse proprio il Lazzaretto come luogo in cui iniziare il corteggiamento, non si sa. Aveva cominciato a frequentarlo molto prima, per portare cibo e aiuti ai disgraziati. Era un aiuto umanitario fornito spontaneamente, da un comunista che amava impegnarsi in concreto. Quei disperati del Lazzaretto, spesso abbandonati da famiglie che non avevano di che aiutarli, non potevano essere lasciati così.

E poi dove potevano andare i due innamorati, spesso seguiti da una scorta di polizia? Lipari non era Montecarlo né Saint-Tropez. Di bar o terrazze in riva al mare, dove sedersi a prendere un aperitivo, non ce n'erano. Anche la sempre fornita pasticceria «Subba» sul corso, nel dopoguerra soffriva di penuria di rifornimenti. Il sole, il mare, il nuoto, la vita sportiva, nelle estati che duravano sei mesi, per molti anni sarebbero rimasti gli unici svaghi, le uniche attrazioni dell'isola.

Edda andava al mare con una tovaglia attorcigliata alla vita come pareo e il pezzo di sopra del costume. La pancia, nuda e abbronzata. Le gambe lunghe e affusolate, le scopriva sulla spiaggia. Il pezzo di sotto del costume erano culotte. «Detestando sudare», come ripeteva spesso, si rosolava però a lungo al sole prima di tuffarsi, mentre Leonida, nel frattempo, aveva fatto due o tre bagni e pescato per lei una stella marina. Era sempre lui a tenerle l'asciugamano a uso di tendina, al momento di cambiarsi il costume, per proteggerla dagli sguardi curiosi.

Ma oltre a Lipari, Vulcano doveva diventare il loro regno. E più che Vulcano, Vulcanello, la bassa penisola allungata sotto i faraglioni di Lipari, sfiorati dal mito di Ulisse. La prima volta che sbarcarono lì, accompagnati da un rematore, Bartolo, che aveva vogato per più di un'ora, e dall'immancabile poliziotto angelo custode di Edda, lei fu sorpresa dal paesaggio: la sabbia nera vulcanica, il ribollire di fumarole di zolfo, provenienti dal fondo del mare e attive fino in superficie, la vegetazione selvaggia e impenetrabile. Sembrava di essere arrivati sull'isola di Robinson Crusoe. In quella che sarebbe presto stata ribattezzata «la Baia di Ellenica», nel luogo dove insieme, di nascosto, sarebbero riapprodati da soli nelle notti di luna, e dove è ritratta solitaria mentre guarda il mare o si abbandona lasciva sulla spiaggia, Edda, quella prima volta, avvertì uno strano formicolio.

A poco a poco «l'amico delle lunghe giornate isolane», come amava chiamarlo, stava diventando qualcosa di diverso. Era lui a decidere la rotta, stabilire il ritmo delle giornate, riempirle di racconti inarrestabili, di vuoti, di silenzi, di improvvise sparizioni. Tutto questo la attraeva e la urtava insieme. Non la faceva sentire padrona fino in fondo di se stessa. «Ellenica è casta» annotò un giorno. «Bisogna ammettere che, tanto nella vita movimentata, quanto nella sua carriera amorosa, semplicissima, è stata una donna estremamente saggia. Non a causa di scrupoli religiosi, o del senso della morale, o del grande amore. Ma per mancanza di temperamento e orrore della promiscuità.»

Questi pensieri non la allontanavano da Leonida. Era lui, semmai, a sentire il richiamo della politica, dell'animata, imminente, vigilia elettorale, del lavoro al partito. Lei continuava a guardare tutto quel fermento con sufficienza, con senso di superiorità, quando, la sera, capitava di parlarne: «Adoro questo grande popolo invisibile. È in agguato nelle piazze». Ma lui, indomito, come molti comunisti del suo tempo, aveva una fede cieca nella vittoria delle masse popolari e nell'instaurazione, presto anche in Italia, di una forma di socialismo. Velatamente, al solo sentirlo Edda lo compativa: «Mio grande ragazzo, non si può essere onesto e politico nel contempo. Credete a qualcuna che se ne intende».

Nel nomignolo affibbiato alla casetta moresca del Timparozzo, *Petite Malmaison*, e scolpito su una bacchetta di legno, c'era un pezzetto della filosofia di Edda. La vera *Petite Malmaison*, infatti, era stata un castello, all'interno di un immenso parco, che Napoleone Bonaparte nel 1809, dopo il divorzio, aveva regalato alla moglie, Joséphine de Beauharnais, e dove l'Imperatrice aveva continuato a vivere fino alla fine dei suoi giorni. Così, Edda, continuava ad accogliere Leonida in quella casa, come se fosse sua. Diceva di adorare la propria libertà in nome del dolore – immenso – che non voleva condividere con nessuno. Però se lui si assentava o tardava, s'intristiva. Se poi lui non riusciva a calmarla o a distrarla, se diventava silenzioso, lei l'indomani, preoccupata, si scusava con un biglietto: «Perdonate il mio umor nero di ieri».

E in una straordinaria giornata di sole, di colori, di profumi nella primavera del marzo 1946, Leonida a Vulcanello aveva voluto dipingerla nuda. «Con una morbidissima matita Koh-I-Noor realizzai un nudo di Ellenica» appunterà nel solito modo pignolo. «Dritta. Su una piccola roccia. In mezzo al mare. Su un foglio Fabriano 60 per 40.» E dopo questa specifica descrizione tecnica, più simile al referto di una radiografia: «Il disegno fu coperto di indelebile fissativo e inquadrato da una robusta cornice a spigoli vivi, in mogano rosso, lucidata a spirito. A tergo vi si può leggere: Leonida, dipintor cortese di Ellenica. Isola di Lipari 16/3/46».

Una volta rientrata a Roma, Edda destinò il ritratto, trasformato in un dono indistruttibile, a una parete del suo bagno personale. L'esposizione lasciava intendere che il regalo non era stato proprio sgradito, ancorché riservato a fruizione ristretta, se non del tutto privata. Il soggetto del quadro venne subito notato dai suoi figli, che non mancarono di chiederle come mai avesse acconsentito a questo tipo di posa e chi fosse stato il misterioso ritrattista. Domande a cui, com'è ovvio, lei rispose superficialmente, ma senza poter sottrarsi del tutto.

Aveva deciso di appenderlo perché le metteva in grande risalto le gambe, a detta di tutti la parte più attraente del suo corpo, l'unica, dal suo punto di vista, che resistesse all'insidia del tempo. A trentacinque anni, la figlia del Duce era convinta di soffrire di un precoce invecchiamento. A giorni alterni se ne disperava, si riprometteva di riprendere una sua particolare faticosa ginnastica, il cosiddetto «colpo del tappeto», per rassodare pancia, glutei e cosce, ma poi si lasciava andare a una vita dissennata, aggravata da un'insonnia invincibile: «Scrivo, sogno, bevo, fumo. Faccio le ore piccole. Tutto ciò è male. Specie per la pelle. Senza contare il cuore e il fegato».

C'era ovviamente del compiacimento in questo, il desiderio di conferme e di coccole che è più forte all'inizio di ogni storia d'amore. Alle cupezze, al desiderio di solitudine, Edda, infiammando Leonida, alternava slanci improvvisi quanto imprevedibili: «La donna che con fiducia posava la mano nella vostra mano, che camminava accanto a voi sulla sabbia della Baia d'Ellenica, che vi guardava in silenzio negli occhi, che a volte vi baciava dolcemente, è ben vostra quella donna. Perché vi ama».

In realtà, a dispetto del suo tormento, Edda era molto imbellita dal suo arrivo a Lipari. Come dimostrano le immagini del tempo, scattate da Leonida, aveva ripreso un peso normale, i lineamenti le si erano arrotondati, l'abbronzatura e le cure di fanghi solforosi di Vulcano, che Leonida le fece conoscere, le avevano dato un aspetto splendente, un colorito ambrato, un sorriso pensoso, su cui spiccava una dentatura candida. La cura eoliana l'aveva inselvaggita, come capita anche oggi ai turisti che si avventurano per la prima volta nelle isole. A lei cresciuta tra impegni ufficiali, parrucchieri e appuntamenti mondani, i capelli spettinati e l'aspetto da indigena donavano molto.

Benché Leonida fosse curioso della sua vita, Edda parlava poco dei suoi dolori, della passata storia familiare e dei figli lontani. Al momento non c'era alcuna previsione che potessero essere rimpatriati. L'imbarazzo, seguito dalla deportazione, con cui Edda era stata accolta in Italia dal governo provvisorio, lasciava anzi temere che si sarebbe fatto di tutto per evitare, dopo quello della figlia, anche il rientro dei nipoti del Duce.

Era dall'esilio in Svizzera, un anno prima della fine

della guerra, che non vedeva la madre e i fratelli. E avrebbe dovuto aspettare a lungo per riabbracciarli. Si preoccupava, aveva delle vere e proprie crisi di sconforto, per il suo destino. E quando Leonida provava a consolarla: «Ma avete letto la condanna con la quale sono stata spedita qui?» si sfogava. «Come se non avessi già pagato abbastanza, questo piccolo porco paese vorrebbe presentarmi un conto che non è mio.»

Si disperava per la salma di Mussolini, senza pace: «Perché non lasciano tranquillo quel povero corpo che ha già sofferto tutti gli insulti e gli oltraggi?». Sognava di essere lei a dargli sepoltura. Era il suo tentativo di riconciliarsi con un padre molto amato e contestato, da cui l'aveva divisa per sempre la condanna a morte del marito. «Il 30 novembre 1943 l'ho visto per l'ultima volta nella cella 27 del carcere di Verona. Da quel giorno finiva l'incubo cominciato il 25 luglio e cominciava il calvario.» E ancora, si lasciava andare: «In certi momenti mi sembra di impazzire. Perché non si può dimenticare e annullare la sofferenza?».

Si trasformava. Tutto a un tratto la felicità del mattino, i sorrisi, la cattiveria delle sue battute ciniche si scioglievano in un pianto silenzioso, come se pure temesse di mostrare la propria malinconia, la sua oppressione, il senso di soffocamento. Edda era una donna che si sentiva in gabbia e, allo stesso tempo, non sapeva dove andare.

Leonida avrebbe voluto aiutarla, ma era difficile capire davvero cosa fare. A poco a poco, sperava, ansia e dolore si sarebbero placati, e col tempo, anche il quadro generale dei suoi problemi si sarebbe disteso, aprendo una strada inattesa verso una soluzione. Ma al momento, con il Paese ancora sotto l'amministrazione straniera, le ferite della guerra tutte aperte, le istituzioni quasi prive di autorità, a suo giudizio non restava che attendere. Era difficile farlo capire a Edda. Ma non c'era altra possibilità.

Dati i tempi, c'erano anche problemi di coscienza. Lui, partigiano comunista, che aiuto avrebbe potuto dare alla figlia del Duce, che si fregiava, ancora orgogliosamente, del suo essere rimasta fascista? Questi pensieri Leonida li confessava a se stesso, per poi scacciarli. Edda, non doveva dimenticarlo, era «una rondine con le ali spezzate» a cui aveva promesso tutto il suo appoggio. Sarebbe stato al suo fianco, comunque. Non l'avrebbe mai lasciata da sola.

VII

I dolori di Edda

I dolori di Edda non erano legati solo alla sua deportazione e, poco prima, alla fine tragica del fascismo, del padre e del marito. Erano ferite profonde, che penetravano lungo tutta la storia della sua vita. Si era sentita tradita dalla madre, dal padre, che non aveva voluto o potuto evitare al marito la condanna a morte. Dallo stesso Ciano. E poi dai tedeschi, che le avevano promesso rifugio e l'avevano attirata in una trappola. E dagli italiani, che le avevano riservato questo destino insopportabile, caricandole sulle spalle il peso di responsabilità non sue.

La sua infanzia era stata un inferno. Le stranezze di un padre amatissimo, che la portava con sé fino a notte fonda al giornale, e per addormentarla, all'alba, le suonava il violino. I ceffoni di una madre durissima, con cui non era mai riuscita ad andare d'accordo. E da cui si era allontanata, quando aveva scoperto di un suo amante, venuto a colmare il vuoto delle assenze continue del marito.

In una casa in cui Edda sarebbe rimasta a lungo figlia unica (il primo fratello, Vittorio, doveva arrivare che lei aveva già sei anni), il teatro quotidiano delle liti tra marito e moglie creava una tensione insopportabile. Anche negli anni a seguire, quando Mussolini era diventato il Duce e la famiglia si era trasferita a Roma, a Villa Torlonia, Edda ormai adolescente veniva costretta ad assistere a continui scambi di accuse e recriminazioni tra il padre e la madre, e spesso chiamata a fare da giudice.

Se Donna Rachele aveva un amante, che tra l'altro, più o meno attorno al 1925, a fascismo in ascesa, doveva sparire – ed era sparito misteriosamente – dal panorama familiare, Mussolini di amanti vere e presunte ne aveva sempre avute una collezione. Tanto che di Edda, nata quando i suoi genitori non erano neppure sposati, e iscritta all'anagrafe come figlia di Benito e «N. N.», si vociferò a lungo che potesse essere stata concepita con Angelica Balabanoff, la militante socialista ebrea di origine russa conosciuta da Mussolini quando entrambi, tra il 1902 e il 1904, vivevano in Svizzera, alla ricerca di avventure e in attesa di una rivoluzione. Edda ne era venuta al corrente: «Passavo per essere figlia della tedesca, figlia della russa, figlia di non so chi». E dubitava del suo innato amore per la Russia.

«Da bambina, mentre altri leggevano Collodi e Gian Burrasca, io mi dedicavo a Dostoevskij e Tolstoj, m'interessavo della Russia, e quando ci andai non mi parve una cosa nuova, mi sembrava di essere a casa mia, con queste enormi distese di papaveri, di girasoli bellissimi!» In realtà, non ci credeva: «Non è che io fossi figlia della russa. No! Mia madre diceva: "Stavi qui nella pancia!". Io comunque sono nata il primo settembre 1910, in perfetta regola. Sono rimasta la figlia di ignoti, di ignoti no, ma insomma di Mussolini e "X" per anni. I miei genitori si sposarono civilmente prima che nascesse mio fratello Vittorio; il matrimonio in Chiesa avvenne nel 1925, prima della Conciliazione».

Anni dopo, nelle sue memorie, Angelica Balabanoff, personaggio assai inquieto, intellettuale di spicco dell'emigrazione russa e collaboratrice, per un breve periodo, anche di Lenin, descriverà Mussolini come un ubriacone incapace e nevrotico. Eppure erano stati molto legati, finché la Prima guerra mondiale, cui Angelica era radicalmente contraria, non li divise. Nel suo libro *Il traditore*, Angelica ricorda che Mussolini non scriveva «un solo articolo importante senza consultarmi o senza modificarlo se io lo ritenevo necessario».

Padre e madre avevano due temperamenti e due atteggiamenti diversi nei confronti della figlia. Con Donna Rachele mancava ogni «senso di familiarità, di affettuosità; la mamma mi avrà abbracciato due tre volte in vita sua». Mentre il Duce «era più affettuoso, ogni tanto mi abbracciava, ogni tanto mi baciava». E poi la portava con sé. Spesso, tutte le volte che poteva, incurante di orari e abitudini per niente adatte alla vita di una bambina, che ripeteva a tutti: «Farei qualsiasi cosa per mio padre».

Tremava quando lo vedeva uscire, di mattina presto, per un duello. Lo capiva vedendogli indossare una camicia fatta apposta, senza una manica per lasciare più libero nei movimenti il braccio che doveva impugnare l'arma. Qualche volta usciva la sera, con tutti e due i genitori per andare all'opera, poi la madre tornava a casa, e lei restava con il padre, che alle due andava al giornale, che aveva fondato nel 1914, «Il Popolo d'Italia». Lì rimanevano fino alle quattro di mattina.

Era il 1915, vivevano ancora a Milano: la redazione del giornale era in via Paolo da Cannobio, un piccolo ufficio di tre stanze. A notte fonda, Edda, che aveva cinque anni, veniva adagiata su un divanetto, per farla addormentare. Ma lei non dormiva, anzi s'eccitava nell'atmosfera febbrile del giornale in chiusura, s'incuriosiva del caotico via vai nella stanza del padre, della confusione, sulla scrivania, di carte ammucchiate, in mezzo alle quali luccicava una rivoltella carica.

In quel periodo Mussolini aveva una relazione con una giovane trentina, Ida Dalser, da cui l'11 novembre dello stesso anno ebbe un figlio, che riconobbe, e a cui diede il nome di Benito Albino. Ma la Dalser non si accontentò del riconoscimento legale del bambino. Sosteneva che Mussolini le aveva promesso di sposarla, era convinta di riuscire ad avere la meglio su Donna Rachele. La quale, già madre di Edda ma non ancora moglie di Benito, era anche lei incinta. La lotta tra le due donne fu senza esclusione di colpi. Rachele tentò di suicidarsi, mentre Mussolini, rientrato temporaneamente dal fronte perché affetto da tifo e ricoverato a Cividale del Friuli, dopo molte esitazioni si decise a sposarla, per procura, il 16 dicembre 1915.

La Dalser non si rassegnò e continuò a perseguitare Mussolini con esposti, minacce, scenate, per anni e anni, anche quando si era già trasferito a Roma come Primo ministro. A distanza di poco tempo, sia lei che il figlio vennero rinchiusi in manicomio, dove Ida morì nel 1937 e Benito Albino nel '42. Una storia tragica. E una vicenda terribile che avvelenò ulteriormente la vita familiare del Duce, lasciando pesanti tracce sull'equilibrio psicologico di Edda.

Del periodo milanese che precedette la nascita del fascismo, Edda ricordava soprattutto disordini e un finto funerale di suo padre celebrato sottocasa, dopo le elezioni dell'ottobre 1919, in cui per la prima volta i fascisti s'erano presentati con un risultato deludente. «Quando succedevano dei parapiglia, la nostra portiera chiudeva il portone e mia madre si imbottiva di bombe a mano. Se fossimo stati attaccati era disposta a tirarle di sotto.»

Mussolini intanto era cambiato. Aveva smesso di bere e di passare le nottate in osteria, perché Donna Rachele lo aveva minacciato di lasciarlo e portare con sé la bambina. Ma, ogni tanto, finiva ancora in galera, come quella volta che era stato arrestato con Pietro Nenni, nel 1911, per uno sciopero contro la guerra di Libia.

Edda ricordava benissimo anche la sera del 28 ottobre 1922, quando a casa giunse la telefonata dal Quirinale, che convocava il padre all'incontro con il re Vittorio Emanuele III. Il giorno dopo Mussolini avrebbe ricevuto l'incarico di formare il governo. Per lui era una svolta storica. Per Edda, un cambio di vita. Di lì a poco, a lei che sognava di fare la ballerina, suo padre avrebbe consigliato un buon matrimonio: «Papà aveva la mania di fare sposare tutti a quindici anni!». Edda, che era stata legatissima al padre durante tutta l'infanzia, considerò questo sbrigativo atteggiamento del Duce come il segnale di un tradimento e di un distacco.

A Roma era più facile essere invitati a feste, in case e in alberghi. Il suo primo flirt, conosciuto in una di queste occasioni, e molto contrastato in famiglia, fu con un ragazzo ebreo, Dino Mondolfi. Molti anni dopo, quando Dino e suo padre, nel 1938, dopo le leggi razziali, si trovarono in un campo di concentramento, Edda, avvertita da un vecchio amico, riuscì a intercedere per farli liberare.

Poi toccò a Pierfrancesco Mangelli, il classico ragazzo di buona famiglia, ben visto in casa Mussolini e con il quale Edda, molto pressata ma assai poco convinta, arrivò a un fidanzamento ufficiale, ma solo dopo essersi assicurata «che la notte per dormire usava il pigiama». Poco dopo i due fidanzati erano partiti con tutta la famiglia del promesso sposo per un viaggio in Spagna, durante il quale le perplessità di Edda crebbero a dismisura. Da Dino, infatti, sia pure con le difficoltà che l'avrebbero accompagnata per tutta la vita, si era sentita subito attratta. A Pierfrancesco, invece, pensava addirittura di essere allergica, perché ogni volta che lo baciava le si gonfiavano le labbra. Anche per questo il viaggio fu un incubo. Lei aveva messo in fila una serie di capricci, tra cui la richiesta, un po' folle, a Barcellona, di far riaprire una stalla a sera tardi perché improvvisamente voleva in regalo un toro vivo.

Inoltre, al ritorno, Mangelli commise un errore. Chiesta udienza al Duce per parlare, un po' più in dettaglio, del matrimonio, s'era informato sulla dote di Edda. Per tutta risposta, Mussolini gli raccontò che nel suo caso, al momento in cui s'era sposato, «l'unica dote di Donna Rachele era la camicia da notte!».

Il 17 gennaio 1930, prima di conoscere Ciano, Edda gli fece recapitare un biglietto («Tutto è finito.»), per chiudere la storia. Il giorno dopo s'era messa in testa di scappare con un ragazzo di Riccione un po' matto, che voleva attraversare con lei l'Adriatico con una barca a remi, e sparire in Jugoslavia. Per fortuna avevano desistito all'ultimo momento.

Il 27 gennaio, a un ballo di una sua amica che tornava dal Brasile, incontrò Galeazzo. All'inizio, una vaga simpatia. Lui si era rifatto vivo prestissimo, invitandola a una partita, poi a un cinema dove davano *Ombre bianche*, un film ambientato a Tahiti. E lì, pur avendo alle costole la scorta di polizia, da cui Edda era sempre accompagnata, Ciano si fece avanti chiedendole la mano.

Si sposarono dopo soli tre mesi, il 24 aprile. Un matrimonio sontuoso, una cerimonia da reali, a Villa Torlonia, di cui ancora oggi si vendono di contrabbando, nei dintorni del parco, foto ricordo. Donna Rachele, mentre scendevano le scale della villa per uscire all'aperto, si era avvicinata al genero per sussurrargli velocemente quelle che – a suo giudizio – erano le cautele necessarie per la buona riuscita della coppia, e i difetti che doveva conoscere del difficile carattere di Edda. Dopo una tragicomica partenza per il viaggio di nozze in via Nomentana, con la macchina degli sposi seguita da quella del Duce e di Donna Rachele e da tutto l'apparato di sicurezza, gli sposi erano riusciti a svincolarsi e a partire per Capri.

Nei suoi ricordi, Edda ha sempre sottolineato due cose dell'inizio di quel matrimonio. L'educazione diversa delle due famiglie, che era sembrata subito stridere – «Noi eravano proletari e socialisti, i familiari di Galeazzo borghesi» – e la tragedia della prima notte di nozze. Pur di non affrontare ciò per cui temeva di non sentirsi pronta, s'era barricata nel bagno dell'albergo. «Galeazzo dopo un po' bussò alla porta. "No" risposi "io non apro. Non fare niente. Altrimenti vado sui faraglioni e mi butto di sotto".» Ciano si mise a ridere, ma fu inflessibile: aspettò fino a tarda notte, poi riuscì a riportarla in camera da letto, e benché lei cercasse di prendere ancora tempo, dichiarandosi ignara, volle a ogni costo consumare il matrimonio. «La nostra prima notte di nozze, francamente, non fu molto divertente» confessò Edda. L'indomani, affranta e ancora dolorante, dopo un precoce bagno di mare, finì in ospedale.

Malgrado lo spirito d'adattamento, presto ci sarebbero state altre difficoltà. A Capri Galeazzo ed Edda erano stati invitati sullo yacht del conte Volpi, e a bordo lei incontrò un suo vecchio amico. Per com'era fatta, le era parso naturale buttargli le braccia al collo e salutarlo con molte feste. Ma al ritorno in albergo Galeazzo, seccatissimo, la ricompensò con due ceffoni. Così a diciannove anni, fresca sposa, Edda capì «che il matrimonio era una cosa diversa» da come lo immaginava, e sentì di essersi «cacciata in una pericolosa avventura».

Già a fine estate erano in Cina, dove Ciano era stato destinato, giovanissimo, come console. Il viaggio in mare era durato quaranta giorni. Sulla nave conobbero Wallis Simpson, la signora inglese divorziata che poco dopo avrebbe fatto innamorare, e convinto ad abdicare, Edoardo VIII d'Inghilterra. «Ero felice» rammentava Edda. «Avevo sempre amato l'Oriente, adoravo i libri di Salgari e l'idea di partire mi eccitava.» Presto sarebbe rimasta incinta, ma già mentre aspettava la nascita di Fabrizio, detto «Ciccino», intuì la vera natura del marito. «Mi accorsi che Galeazzo frequentava delle donne, tra le quali c'era una delle cinque bellezze di Shangai. Era cinese, bellissima. E poi questa, e poi quell'altra. Cominciai a seccarmi.»

Non voleva prendersela con il marito, per non dargli soddisfazione. Avendo tanto sofferto durante l'infanzia per i tradimenti dei suoi genitori, era gelosa, ma istintivamente non voleva ammetterlo. Anzi voleva imporre a se stessa di superare questa debolezza. Si era tormentata tanto, che un giorno stava quasi per buttarsi dalla finestra. Poi a un certo punto riuscì a vivere tutto più freddamente, anche se faticosamente. La relazione tra i due coniugi cambiò, e i loro rapporti intimi si fecero meno intensi. Nel 1933 e nel '37 nacquero gli altri due figli, Raimonda, detta «Dindina», e Marzio, soprannominato «Mowgli». Mentre l'apparenza pubblica di coppia resisteva – e anzi si rafforzava, con Edda che acquistava maggior credito come consigliera del marito, e come interlocutrice dei go-

71

verni con cui il futuro ministro degli Esteri avrebbe avuto a che fare – il loro legame personale si ridusse, per sua ammissione, «ad affetto fraterno».

Galeazzo continuava ad avere le sue donne, come voleva anche la retorica pubblica dell'uomo di potere. Ed Edda i suoi uomini: «Anch'io ho avuto degli amanti, certo! Quando non ne potevo più di loro e cominciavano a scocciare, siccome c'erano sempre delle guerre, dicevo loro: "Andate a fare gli eroi". Tutti sono partiti e sono tornati anche con delle medaglie». Il più caro, il più affezionato di questi amanti sarebbe rimasto il marchese Emilio Pucci. «Era in gamba. Brutto come un diavolo, però molto raffinato.»

Arruolato in aviazione e dimostratosi molto coraggioso, Emilio Pucci sarebbe rimasto vicino a Edda anche nei giorni più duri e l'avrebbe assistita durante l'espatrio, prima di diventare uno dei maggiori stilisti europei del dopoguerra. L'aveva amata molto: per corteggiarla, una volta, cucì personalmente un paio di pantaloncini e una maglietta per Mowgli. Ed era stato deluso quando lei, al ritorno da Lipari, si era allontanata da lui. Edda in realtà continuava a pensare a Pucci, che le era stato vicino nei frangenti più difficili, e a scrivere e a scherzare su di lui. Una volta, in una lettera inviata a Leonida, forse per farlo ingelosire, gli scrisse che anche Pucci era diventato comunista.

Con Ciano che stava per diventare ministro degli Esteri, anche il ruolo politico di Edda continuava a crescere. Il padre le parlava più spesso. Le confidava i suoi problemi. Aveva esaminato con lei, per esempio, il peggioramento dei rapporti con la Germania dopo l'incontro di Venezia con il Führer, nel giugno del 1934, e dopo l'assassinio, a luglio, del cancelliere austriaco Engelbert Dollfuss da parte dei nazisti austriaci.

72

Nella stessa estate, a Castelporziano, dove conversava con il Duce passeggiando sulla spiaggia, Edda con la sua amica Lola Giovannelli aveva lanciato la moda del due pezzi, riservata alle più audaci tra le ragazze italiane e destinata, come sappiamo, a creare scandalo a Lipari, nei giorni del confino.

Poco dopo Mussolini le aveva affidato una delicata missione diplomatica: «Vai a Londra e di' a tutti, dallo chauffeur di taxi al primo ministro se lo incontri, che noi andremo in Abissinia *coûte que coûte*, e poi cerca di informarti sulle loro reazioni». Su una terrazza affacciata sul Tamigi, Edda era riuscita a farsi ricevere dal primo ministro inglese MacDonald: «Come al solito, riferii testualmente ciò che mi aveva detto mio padre». MacDonald sembrò accomodante: «Ci saranno delle sanzioni, ma la guerra no». Ma quando le sanzioni arrivarono, se non ci fossero stati gli aiuti della Germania, l'Italia si sarebbe paralizzata.

Edda era assolutamente convinta dell'alleanza con i tedeschi, Galeazzo no. Nel 1933, quando Hitler vinse le elezioni e divenne cancelliere, aprendo così la strada al nazismo, Edda era molto soddisfatta di questo risultato, invece Galeazzo lo considerava «una disgrazia». Mentre Mussolini, malgrado le riserve sul Patto di non aggressione tra Unione Sovietica e Germania, era costretto ad accettare la politica del Führer. Ma proprio perché si considerava amica dei tedeschi, Edda era stata anche capace di fare una scenata a Hitler. Visitando un campo di lavoratori italiani in Germania, lo trovò in pessime condizioni. «Mi rivolsi al Fuehrer: "Ma com'è questa storia? Qui ci sono dei lavoratori italiani che vengono a lavorare per voi e li trattate in questa maniera?" Successe un quarantotto e Hitler si arrabbiò con i suoi aiutanti.»

Con lo stesso contegno, con lo stesso alto rispetto di se stessa, Edda s'era rivolta a Hitler nel momento più difficile per la sua famiglia. Dopo il Gran Consiglio del 25 luglio '43, il fascismo era caduto con il voto favorevole, tra gli altri, di Galeazzo Ciano. Mussolini era stato arrestato e sostituito al governo, con Badoglio. Approfittando del fatto che Ciano, dopo aver lasciato il ministero degli Esteri, era ambasciatore presso la Santa Sede, Edda cercò invano rifugio per i suoi in Vaticano. Poi, malgrado le perplessità di Galeazzo, che un giorno, in preda alla disperazione, chiese alla moglie di aiutarlo a suicidarsi, Edda si era rivolta alla Germania, per scappare in Spagna. I tedeschi li caricarono su un aereo militare e li portarono a Monaco, dove già prima, era atterrato il fratello di Edda Vittorio.

Hitler la convocò subito da sola, senza il marito, a Königsberg, al suo quartier generale, tranquillizzandola: «Stia sicura che suo padre sarà liberato, come pure sua madre e i suoi fratelli.» E poi le chiese: «Ma come gli è venuto in mente di riunire il Gran Consiglio?». Le confermò, inoltre, che l'avrebbe fatta partire con i suoi familiari per la Spagna.

Nei giorni successivi Mussolini venne liberato dalla prigione del Gran Sasso, e portato in Germania anche lui. Tutti insieme festeggiarono il compleanno di Edda, il primo settembre. Con i Mussolini c'erano Hitler, il ministro degli Esteri, Ribbentrop, e il capo delle SS, Himmler. Ma a poco a poco, vedendo allontanarsi la partenza per la Spagna, Edda e Galeazzo capirono di essere diventati prigionieri. Per quanto il Führer fosse interessato a far rientrare il Duce in Italia, per riprendere almeno una parte del territorio, era chiaro che nei confronti di Ciano i propositi erano di vendetta.

Edda allora aveva deciso di riattraversare il confine, per riappropriarsi dei diari del marito, pieni di annotazioni compromettenti anche contro la Germania, e cercare di barattare con i tedeschi la consegna di quei documenti, in cambio della salvezza del marito. Non appena partì, Galeazzo fu riportato in Italia e rinchiuso nel carcere degli Scalzi di Verona, dove in breve si sarebbe consumata la tragedia del processo contro lui e gli altri gerarchi traditori, e della condanna a morte.

Suo tramite con i nazisti era stata Frau Beetz, un'agente segreta delle SS molto vicina a Galeazzo nei giorni che precedettero l'esecuzione. Fu lei che diede a Edda tutte le lettere di Ciano e si adoperò per lo scambio, fallito, tra i diari e l'annullamento della condanna a morte. Prima e dopo l'ultimo colloquio con il marito, Edda incontrò il padre, l'ultima volta il 12 dicembre, e lo supplicò per la grazia, ma inutilmente. Il Duce non poteva fare altro che assecondare le aspettative dei tedeschi: «All'ultimo papà mi disse: "Quando ci rivedremo, ti spiegherò perché"». Allo stesso modo si rivelò inutile il tentativo di coinvolgere la madre. Il mancato intervento di Donna Rachele, che odiava Ciano e lo riteneva causa delle rovine familiari, fu motivo di una rottura tra madre e figlia, sanata solo molto tempo dopo, quando Edda andrà a trovare quel che resta della sua famiglia a Ischia.

Disperata, riuscì egualmente a far firmare a Galeazzo la domanda di grazia, che venne respinta prima ancora di arrivare sul tavolo del Duce. Fino all'ultimo, tuttavia, Edda aveva sperato. Sfinita, sofferente e ricoverata sotto falso nome in una clinica di Ramiola, vicino Parma, fuggì per andare a un estremo, inutile incontro con Frau Beetz, che le consegnò l'ultima lettera del marito, e la lasciò scappare. Non c'era più nulla da fare. La mattina del 9 gennaio 1944, Pucci andò a prenderla a Ramiola, trovandola mezza morta, per accompagnarla a Chiasso, alla frontiera Svizzera, dove avrebbe raggiunto i suoi figli. Ciano fu fucilato due giorni dopo, l'11 gennaio. Si rivelò inefficace il veleno che Edda gli aveva fatto avere in cella, per evitare l'onta dell'esecuzione. La prima scarica di colpi non lo uccise. Per abbatterlo ci volle il colpo di grazia, con due proiettili alla testa.

In Svizzera, i primi mesi, rimase rinchiusa in convento con i figli a Ingenbohl. Uscì solo una mattina, per una passeggiata con i bambini in montagna. «Li portai in un punto in cui c'era un crocifisso, e dissi loro: "Sapete, papà è stato fucilato. Era innocente". I due più grandi rimasero indifferenti, mentre Mowgli fece una cosa meravigliosa, prese un fiorellino tra la neve e me lo diede: "Tieni Edda". Aveva capito meglio degli altri.» Alla fine di luglio, la trasferirono a Malévoz, in manicomio. Lì ricevette due lettere del Duce, in una delle quali c'erano dei soldi ricavati dalla vendita del «Popolo d'Italia». Li accettò solo per necessità e gli rispose con una lettera molto dura.

Si sentiva «molto incattivita». «D'altronde» avrebbe spiegato in seguito «si odia particolarmente ciò che si è molto amato, e io sostengo che lo scempio di piazzale Loreto fosse ancora un gesto d'amore. Ma quando hai amato moltissimo una persona, come io ho amato mio padre, in un momento così la odi.»

Fu a Malévoz che apprese dalla radio della fine della guerra e dell'uccisione del padre. Svenne mentre ascoltava la notizia, tra i dileggi e una mezza rissa di un gruppo di ricoverati attorno a lei. E fu di lì che ripartì per il confino, il 29 agosto del 1945. Con questo pesantissimo carico di sofferenza, senza i figli, Edda sbarcò a Lipari.

VIII

Ellenica e Baiardo

Avevano fatto l'amore per la prima volta sulla terrazza della *Petite Malmaison*. Tardissimo, quando ormai la luna cominciava ad allontanarsi e a ritirare la sua luce pallida dai tetti del paese. Lei aveva bevuto e fumato tutta la notte, la sua voce arrochita d'improvviso tacque. Lui aveva tenuto a freno la sua irruenza di amante clandestino, l'ansia focosa delle notti francesi, quando saliva di nascosto nella stanza di Margot. Lei si lasciò baciare, si appassionò, cominciò a respirare e a gemere faticosamente. Lui, appoggiato con la schiena verso il muro, la sollevò con una delle sue grandi mani, con l'altra cominciò ad accarezzarle le gambe lunghe, seducenti, che lei considerava la parte più attraente di sé. Edda si lasciò andare mentre, eccitato, Leonida la baciava sul collo e sul seno. Ma prima di abbandonarsi completamente, e sentirlo dentro di sé, si fermò ancora un attimo, per guardarlo.

Leonida era molto bello e sicuro di sé. Un guerriero, un soldato in divisa. Era stato capace di tenere a freno la sua impazienza, l'aveva conquistata a poco a poco così. Altre volte, sulla sabbia calda di Vulcano o nella selva delle ginestre, lei s'era lasciata baciare, accarezzare, stringere, fermandosi nel momento più bello come in estasi, o rotolando sulla riva, per poi restare con lo

77

sguardo rivolto al cielo, in silenzio. Abituato alle rudez-
ze della guerra, agli abbracci della sopravvivenza sui pa-
gliericci pulciosi, Leonida aveva dovuto forzarsi, per resistere. La assecondava. Se lei parlava, riprendeva a parlare. Se taceva, fingeva di ascoltare il rumore del mare.
Se le chiedeva di lasciarla sola o riportarla a casa, cercava subito di accontentarla.

Non gli era mai successa una cosa del genere: nel
gioco amoroso, era lei a giostrarlo. Imbarazzato, incerto all'inizio, ora si sentiva attratto. Non avrebbe at-
teso all'infinito. Ma aveva saputo aspettare. Baci dati e
negati, fughe repentine, capricci da monella, parole
sussurrate, sguardi persi nel vuoto, tutto il suo strano
modo di comportarsi, gli aveva acceso un forte desiderio. Non di Edda, ma di Ellenica. Era lei che doveva conquistare.

Forse Ellenica e Baiardo sarebbero stati felici. Una
porta doveva aprirsi lentamente, mentre se ne chiudeva
un'altra. I silenzi di Edda dovevano contrassegnare le
sue uscite di scena, mentre Ellenica prendeva posto nella sua vita. In un gioco amoroso – ed erotico – così raffinato, Leonida era messo alla prova. La durezza della
sfida di Edda era pari solo alla sua cattiveria.

«Amate Ellenica? Ellenica sono io...» gli sussurrava
piano in francese. E poi: «Parlatemi, voglio sentirvi parlare...». Leonida, che aveva sempre amato di nascosto,
di corsa, nelle notti di guerra, scoprì così l'attrazione del
gioco delle parti, l'ambiguità delle lunghe attese piene di
desiderio e anche un pizzico di sadismo della sua imprevedibile maestra d'amore. Nei «girotondi con le pastorelle», come li chiamava lei, per sminuire il suo orgoglio maschile, lui non s'era mai preoccupato molto del
da farsi. Si sentiva desiderato, e basta. Arrivava, si spo-

gliava, «faceva i suoi quattro salti» e non gli restava molto tempo per le tenerezze.

Con Edda, invece, Leonida era rimasto turbato. Solo quando le barriere fossero cadute, avrebbe potuto cominciare ad amarla. La vedeva agitata, ma anche assente, come in trance. La sentiva fragile. E si temeva rude, con le sue braccia possenti e le mani ruvide sul suo corpo delicato.

«Voi non sapete viziare Ellenica, mentre io vi amo assai» lo sorprendeva lei, che adorava le sue incertezze. Lo chiamava «Rocky Mountain», e lo gratificava: «Vi adoro!». Ma una sera che lo congedò bruscamente, per via del suo umor nero, e lui s'era messo in viso uno di quegli inconfondibili musi siciliani: «Meraviglioso, adesso» lo sorprese lei «sulla Civita sotto le stelle, pensare un po' a me». Lui era uscito dalla *Petite Malmaison* temendo che lei lo seguisse per raggiungerlo. E s'era arrampicato a larghi passi verso la piazza del Municipio.

Ellenica lo aveva stregato. Mentre Edda continuava a essergli solo amica, e ad accettare la sua compagnia con gentilezza e formalità, Ellenica si affacciava solo di tanto in tanto. Erano momenti meravigliosi. Ma se Leonida provava a mescolare i due personaggi, Edda lo richiamava al loro gioco.

Una sera lui aveva deciso di confidarle apertamente i suoi sentimenti. Le aveva detto: «Voi per me potreste essere la donna ideale!». Stava per proseguire, quando: «Questa storia della donna ideale m'ha lasciata un po' perplessa» lei lo interruppe. «È possibile che io lo sia per tutti gli uomini che si sono innamorati di me?» Edda non si considerava affatto ideale. Una donna a parte, forse, un po' speciale, questo sì. Ma dover rappresentare qualcosa per qualcuno, doversi aprire, dover condividere il proprio strazio, non le andava. Chi le aveva confessato di sentirsi innamorato, non l'aveva mai capita.

Anche Leonida, che già mostrava di voler uscire dalla dimensione del gioco, quella sera la deluse. «Uomini diversi per lingue, razza, cultura, educazione hanno creduto di trovare in me questo tipo di donna» lo aveva tacitato. «Evidentemente gli uomini esagerano, e il mio senso dell'humour mi permette di ridere di loro e di me stessa.»

Quando lei si ritraeva, Leonida reagiva confuso e apparentemente sperduto tra i due piani della storia. Tra sé e sé, si diceva, la follia in amore aggiunge sempre qualcosa. Ma qui si era oltre. Quando Edda era depressa o adirata, per i molti guai che le piovevano addosso e ai quali non poteva porre alcun rimedio, Ellenica, al contrario, era eccitata. «Ellenica vi bacia un po'. Molto. Forse con passione» si era sentito dire certe sere in cui non s'aspettava niente. «Amatemi tanto, fatemi sentire il sapore dei vostri baci!» sospirava con trasporto, in altri momenti, accarezzandolo e stringendogli le mani.

La dolcezza s'impadroniva di lui. Allora la prendeva, la sollevava all'altezza del suo viso, cominciava a baciarla sulla bocca, sul collo, sulle spalle, poi si lasciava cadere, e piano piano si univa a lei, timoroso che l'incanto a sorpresa di Ellenica potesse sparire.

Una volta, non avendola vista per un giorno, si era presentato di mattina nella *Petite Malmaison*. Era entrato. L'aveva trovata che dormiva. Tutt'attorno bottiglie svuotate, un bicchiere lasciato a metà, posacenere e piattini colmi fino all'orlo di cicche di sigarette. Non aveva gradito la visita, Edda. L'aveva considerata una tracotante improvvisata. E Leonida se n'era molto pentito.

Un'altra sera lei aveva voluto leggergli una poesia di Byron molto dolorosa. Lui era attento, ma inquieto: non sapeva con chi delle due stesse parlando.

When we two parted
When we two parted
in silence and tears
half broken hearted.

«Quando noi ci dividemmo, in silenzio e in lacrime, i nostri cuori si spaccarono a metà» dicono i versi. Leonida aveva avuto la sensazione di non essere mai stato amato tanto prima. Vergognandosi, aveva nascosto la sua commozione. E lei: «Avete un grande cuore e un animo tenero».

Così le notti e i giorni passavano, ed erano molto diversi. La passione, il desiderio, i momenti di attrazione dovevano necessariamente lasciare spazio ai problemi di tutti i giorni. Edda non resisteva all'idea di dover scontare per intero i due anni di confino. Cercava una soluzione per ottenere un riesame del suo caso. Si era messa a studiare le carte giudiziarie che la riguardavano e, aiutata da Leonida, a scrivere un memoriale destinato alla Commissione che l'aveva spedita a Lipari.

L'altro grande cruccio era la lontananza dai figli. Le mancavano, li aveva sempre avuti con sé anche nei momenti peggiori. Li sapeva in Svizzera, al sicuro, ma non poteva prevedere quando li avrebbe rivisti né quando si sarebbero ritrovati a vivere assieme.

Le tornavano in mente ogni tanto – e qualche volta le raccontava a Leonida – scene di vita familiare di molti anni prima. Una litigata con il padre, durante un ballo, quando era stata scoperta con una sigaretta in mano.

«Tu fumi! Lo sai che non devi fumare?» le aveva urlato il Duce. E lei: «Senti, papà, io aspetto un bimbo e ho voglia di fumare». Mussolini apprese così che Edda era incinta del suo terzo figlio. E rimase senza parole.

Un padre così difficile con lei, Edda lo descriveva tuttavia come un tenero nonno dei suoi figli. «Giocava volentieri con loro» raccontava «anche se i miei due maggiori avevano una tale soggezione di lui che stavano sempre sull'attenti, da perfetti Balilla, e lo chiamavano "Nonno Duce".» Invece il piccolo, Mowgli, «se ne infischiava assolutamente che lui fosse il capo del governo: entrava nel suo studio, si sedeva davanti alla scrivania, prendeva le matite rosse, verdi e gialle e scribacchiava sui fogli. Papà gli lasciava fare tutto. Lo avessi fatto io, mi avrebbe preso a calci. Mowgli non aveva nessun timore del Duce e per questo a papà piaceva e lo portava a spasso molto volentieri».

Un giorno, Edda ne sorrideva ancora, il piccolo Mowgli ne aveva combinata una grossa. La famiglia Ciano (Galeazzo era ambasciatore presso la Santa Sede) era andata in visita da papa Pio XII in Vaticano. «Eravamo seduti tutti insieme: Galeazzo, Ciccino, Dindina, Mowgli e io. Vicino al Papa c'era un telefono d'oro che aveva incantato Mowgli. Improvvisamente lui si lanciò come una tigre e lo afferrò. Fu una scena davvero comica, il Papa tirava da una parte e Mowgli dall'altra. Dopo, i suoi fratelli lo rimproverarono per la brutta figura, e poi cominciarono a rincorrersi e a picchiarsi tutti e tre.»

Parlavano di politica, ma non troppo. Leonida considerava le loro posizioni «così distanti da essere inconciliabili». Edda si divertiva a dichiararsi «una perfetta fascista. È strano ma vero che temperamenti assolutamente individualistici come me possano comprendere e amare la dittatura» lo incalzava. «Ma toglie loro un'infinità di problemi. Quando si vede un problema in cento modi diversi, non si arriva a nessuna soluzione. Ci vuole qualcosa di più forte, che vi obblighi a seguire quella strada. Non uno sperdersi nelle paludi.»

Era un passatempo, per lei, scherzare sulla fede comunista di Leonida. «Continuate a essere comunista? Davvero? Come riuscite a conciliare il vostro squisito senso di amor di patria, con questi appena velati Ukase di Mosca? Cercherò per voi il libro di un giornalista americano che partì entusiasta per la Russia. Vi dimorò sei anni, e ritornò.»

Ma lui non replicava. Leonida aveva il rigore dei vecchi compagni e poi sapeva che lei provava gusto a provocarlo. Poco dopo, infatti, era Edda a cambiare argomento: «Mio adorabile allievo di sieur Palmiro, non trovate che nei confronti dell'amore la politica non ha alcun senso?».

Pur tornata in piena forma, attraente, luminosa, abbronzata, si lamentava. Si sentiva malata dentro, «non più una splendente creatura della natura». Cercava coccole: «Voglia di vivere-ridere-dimenticare: Relax». Ma a tratti era nevrotica: «Buon Dio, come sono stanca di tutto. Intanto, non ci si può riposare e bisogna camminare». Se Leonida alla fine, davanti ai suoi capricci, gettava la spugna, era pronta ad adularlo: «Incantevole amico, non siate depresso! Ho bisogno della vostra forza e della vostra tenerezza».

Era andata a sentire un suo comizio, gli aveva mandato un bigliettino pieno di complimenti forbiti: «Unite con grazia la forza virile dell'apostolo, la concisione romana di Tacito all'eleganza oratoria». Era incantata dalla capacità «degli uomini che, senza fiatare, seguendo alla lettera il programma, saltano su un tavolo e arringano una folla ostile...».

La notizia della revoca del confino li aveva colti senza preavviso, mentre erano felici. La sera del 25 giugno, Edda era a cena al ristorante «Nizza» con una sua amica, la professoressa Romano. I poliziotti di scorta accompagnarono al suo tavolo un sottufficiale che le comunicò che poteva considerarsi libera.

Edda non si scompose minimamente. La notizia uscì sul «Corriere della Sera» il giorno dopo, con una corrispondenza che apriva uno squarcio straordinario, non solo sulle sue reazioni immediate, ma sui dettagli della sua vita isolana. Edda appunto, secondo il «Corriere», non si era «sorpresa per quanto le fu comunicato, anzi accolse la notizia con indifferenza, quasi non la riguardasse».

Si può immaginare, invece, con che ansia e preoccupazione vi avesse fatto fronte. In un attimo, i problemi che aveva accantonato, si riaprivano. Attendere ancora non avrebbe avuto senso, non c'era ragione. Nell'articolo non v'era traccia di queste inquietudini. Al contrario, si vagheggiava la possibilità che Edda avesse deciso di fermarsi sull'isola almeno per tutta l'estate: «Sembrerebbe che Edda per il momento non abbia alcuna intenzione di allontanarsi da Lipari, ove s'è affezionata non soltanto agli isolani e ai panorami estivi, che in questa stagione sono più affascinanti».

E qui, nelle righe che seguivano, pur nello stile paludato del giornalismo del tempo, l'accenno agli affetti della contessa doveva farsi man mano più esplicito. Prima si parlava dell'intenzione di Edda «di richiamare a Lipari i figli, dalla Svizzera, e tenerli con sé almeno per tutto il periodo estivo, dato che la spiaggia dell'isola e il clima sono favorevoli ai bagni, che lei ha già cominciato con un certo successo per la sua salute».

Poi si sottolineava che la contessa «durante il suo soggiorno» s'era resa «popolarissima tra gli isolani, i quali si sono affezionati all'elegante signora» che «non aveva disdegnato cordiali amicizie». Per dare un esempio della sua generosità, si ricordava la sua decisione di «tenere a battesimo il figlio del falegname Belletti, Giuseppe», titolare, oggi, della più grande e fornita edicola-libreria del paese. Sorvolando sulle insopportabili condizioni iniziali del soggiorno a Lipari, definito «tranquillo e per nulla disagevole» e sulle vere ragioni del trasloco, si confermava che dopo un primo periodo «in una villetta in via Diana circondata da un alto muro intorno al quale vi era sorveglianza di polizia,» Edda, «per motivi che non si conoscono, venne alloggiata in via Garibaldi».

E finalmente, giunto all'indirizzo della *Petite Malmaison*, il giornalista aggiungeva con malizia, un dettaglio dopo l'altro: «Amante dei panorami e della vita campestre, Edda Ciano sovente si recava in gita nelle campagne dei dintorni, sola o in compagnia di gente del luogo. Le sono state amiche le signorine Giuffrè, proprietarie terriere. In questi ultimi tempi non ha disdegnato l'assidua compagnia di un aitante giovane del luogo, il sig. Leonida Bongiorno, esponente di un partito politico, il quale ha avuto per lei tutte le cure più assidue».

Così, nello stesso momento in cui a Edda veniva restituita la libertà, diventava pubblica la sua storia con Leonida, «esponente di un partito politico» di cui il prudente cronista non si azzardava neppure a fare il nome.

La figlia del Duce fidanzata con un comunista era una notizia complicata, difficile da credere, figurarsi da pubblicare. Poco importava che da mesi corresse di bocca in bocca tra la gente di Lipari. Quella storia, chissà perché, doveva restare nascosta per altri sessant'anni.

IX

Una donna «mondana»

Edda non aveva affatto accolto la notizia della sua liberazione con indifferenza. Semplicemente, aveva scelto di controllarsi, davanti ai poliziotti venuti a comunicargliela e all'amica seduta di fronte, nello squallore del ristorante «Nizza». Lo sforzo di volontà, per restare impassibile, era stato assai duro. Nello stesso momento in cui era tornata libera, tutti i problemi messi da parte, tutti i dolori appena attutiti dalla lontananza, insieme a una solitudine cupissima e una grande stanchezza, si erano impadroniti di lei.

Poco meno di un anno prima aveva provato la stessa sensazione, rientrando dalla Svizzera e consegnandosi come prigioniera a un ufficiale dell'esercito americano. Ora il ricordo di quel viaggio terribile, l'impressione già avuta alla frontiera di Chiasso, di trovarsi in un paese ostile, tornavano e l'aggredivano di nuovo.

Era stata caricata su un carro armato sudicio, pesante e rumoroso, che aveva impiegato tre ore per arrivare all'aeroporto di Linate. Lì si erano fermati e avevano dormito, in attesa, l'indomani, di partire con un aereo militare. Atterrati vicino Orvieto, Edda era stata presa in consegna dal questore Polito, lo stesso che aveva avuto in mano suo padre dopo l'arresto e che aveva molestato sua madre. Era stata maltrattata, perquisita, costretta a spogliarsi in una stanza con la porta semiaperta. Ed era esplosa, quando aveva sentito sul suo corpo gli sguardi lubrichi dei questurini: «Non avete mai visto una donna nuda?».

Poi, con un altro aereo militare, era stata trasportata a Catania. Sorvolando Capri, uno dei luoghi più amati, il velivolo aveva perso quota, uno dei motori faceva i capricci. «Guarda un po' dove mi tocca morire» s'era lasciato scappare Edda. Dopo l'atterraggio a Catania, avevano raggiunto Augusta per imbarcarsi su un cacciatorpediniere, tra sguardi di militari stupiti che al suo posto aspettavano il principe d'Assia. Era stato anche per questo che a Lipari, ad attenderla, trovò una grande accoglienza, preparata, anche quella, per il principe.

Dal primo giorno di confino Edda si sentiva soffocare. Non pensava alla fuga, non ne aveva le forze, ma a come trovare il modo di ottenere una riduzione dei due anni di pena. Si era fatta dare le carte giudiziarie per leggere le accuse pesantissime che la riguardavano. Si era messa a riflettere sulla possibilità di difendersi personalmente, affidando a un memoriale la ricostruzione pacata del suo ruolo effettivo negli anni del regime. Le ripugnava l'idea di dover rispondere, nientemeno, dell'accusa di aver provocato la Seconda guerra mondiale, superando le resistenze del marito e convincendo suo padre, restìo a muoversi, che fosse venuta l'ora di abbandonare il comodo riparo della «non belligeranza». L'addebito più grave che le veniva mosso era di «avere con continuità ispirato e dato il proprio contributo alla politica estera del regime fascista che condusse all'alleanza con la Germania e alla guerra». Oltre a un che di ridicolo, sproporzionato, esagerato, Edda aveva trovato nella retorica di queste parole perfino qualche continuità con

1953. Don Eduardu, foto con dedica al nipote Edoardino.

1946. Edda Ciano al mare a Vulcanello.

1943.
Leonida Bongiorno
in Piemonte,
in divisa da alpino.

1946. Edda Ciano in campagna a Lipari.

1946. Edda Ciano a Vulcano.

1947. Angelina Cusolito,
la «Chevelue»,
futura moglie
di Leonida Bongiorno,
da ragazza, a Lipari.

Lettera in francese:
«Mio caro e
unico comunista...»
(31 luglio 1946).

1946.
Telegramma
di Edda, malata,
a Leonida.

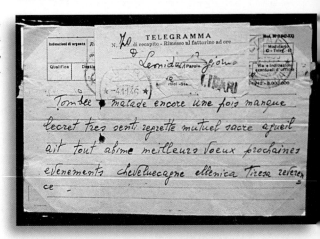

1944
Carta d'identità falsa
intestata a Paul Zanetti,
di Leonida Bongiorno
partigiano in Francia nelle Forces
Françaises de l'Intérieur (FFI)

Ritaglio di giornale
del 4 novembre 1946
sulla partenza da Palermo
di Edda.

1945.
Insegna della *Petite Malmaison* scolpita su una tavola di legno da Edda Ciano.

1957. Foto di famiglia di Leonida Bongiorno con la moglie Angelina e il figlio Edoardo durante una festa di Carnevale.

Edda Ciano in una delle
sue ultime visite a Lipari.

Leonida,
ormai anziano,
con Edda.

toni ed espressioni, che le erano stati a lungo familiari, negli anni del regime.

Nelle lettere e nei bigliettini di Edda, e nei diari di Leonida, non v'è traccia esplicita che i due abbiano collaborato a redigere il memoriale, ma, nello stesso tempo, è impensabile che questo non sia accaduto. Con il carattere che aveva, Edda non avrebbe mai accettato un esplicito atteggiamento di sottomissione che, invece, attraversa tutto il documento, a eccezione della prima pagina, in cui rivendica la sua adesione al fascismo. Invece Leonida, che con questo genere di furbizie aveva riportato a casa la pelle durante la guerra, sarebbe stato perfetto per suggerirglielo. Inoltre, geniale come certi lampi di cattiveria di Edda, durante le loro conversazioni notturne, era l'argomento usato a sua discolpa: Edda ammetteva di essersi trovata in luoghi e situazioni decisivi per i destini dei Paesi in guerra, di aver conosciuto leader e classi dirigenti di mezza Europa. Ma con una faccia tosta degna di sé, spiegava di averlo fatto solo per ottemperare ai suoi «obblighi mondani». Così, nelle pagine del memoriale, la figlia di Mussolini che per incarico del padre era andata in Inghilterra, da MacDonald, ad annunciargli la guerra in Abissinia, si degradava a moglie e donna di casa. Negava il proprio intuito politico, si descriveva solo come sapiente organizzatrice di pranzi e cene di rappresentanza per conto dei suoi familiari.

Anche se non è detto che sia stato utile per ottenere la liberazione (più probabilmente effetto dell'amnistia emanata da Togliatti, ministro di Giustizia, il 22 giugno 1946), la lettura del memoriale è interessante. Offre una sorta di autoritratto retrospettivo di Edda, con l'aiuto presumibile della matita del «dipintor cortese» Leonida; lo stesso, non dimentichiamolo, che solo qualche mese prima, a Vulcano, l'aveva disegnata nuda.

Scritto in prima persona, il documento affronta per prima l'accusa di aver tenuto «una condotta ispirata ai metodi e al malcostume del fascismo», che da sola bastava a motivare il confino. «Essendo figlia di Mussolini» obiettava Edda «non so quale condotta politica avrei potuto avere. Nel partito non ebbi mai nessun incarico. Nel 1936, con grande orrore dell'allora segretario del partito, Starace, ci si accorse che io non ero nemmeno iscritta al Fascio.» La tessera della figlia del Duce naturalmente era stata preparata in fretta e furia e s'era provveduto anche a darle un'anzianità convenzionale dal 1922, l'anno della marcia su Roma.

Edda intendeva anche rivendicare il «suo» modo di intendere il fascismo: «Se malcostume fascista significa aver obbedito alle leggi, non aver mai frodato lo Stato, aver aiutato migliaia e migliaia di persone, senza mai occuparmi se avessero o no la tessera, non aver mai perseguitato nessuno, ariano o meno, aver denunciato a mio padre gli abusi e i soprusi, non essermi mai valsa del mio nome per commettere prepotenze o illegalità, ebbene allora sono colpevole».

Prendendo le distanze dalle leggi razziali – un atteggiamento facile da assumere, a quel punto – Edda intendeva introdurre la tesi della degenerazione del regime, sulla quale, almeno in famiglia, il Duce era stato messo in guardia. Come aveva già spiegato in passato, in casa Mussolini si discuteva, e non solo di corna come ai tempi della sua infanzia. Per esempio, Edda considerava «una stupidaggine» il divieto per le donne di portare i calzoni. «Quando eravamo sul fronte russo c'erano le ausiliarie tedesche che giravano in pantaloni, non avevano quelle palandrane che indossavamo noi. Non era possibile andare al fronte vestite a quel modo, il pantalone sarebbe stato più logico, ma papà aveva detto che non dovevamo portarli.» L'altro motivo di dissenso tra padre e figlia era stata la proibizione per i soldati in licenza di andare a ballare. «Per me» sosteneva Edda «era normale che un soldato, dopo aver fatto il suo dovere, potesse divertirsi: ha fatto il suo dovere, tornerà a farlo, e lascialo divertire per quei dieci giorni che sta in licenza!»

In genere le discussioni avvenivano a tavola, a Villa Torlonia. Dei tre figli, Edda era la sola a contraddire il Duce, «anche se a volte io e mio padre ci univamo contro mia madre». Difficilmente però, Donna Rachele poteva essere contraddetta. «La mamma aveva spesso ragione. Era una detective mancata, perché aveva una sua polizia personale, una rete di confidenti che la informavano dettagliatamente sulle attività dei gerarchi.» Edda cercava di consigliarla: «Ma cosa ti vai a impicciare, le dicevo, se qualche gerarca ha alzato di un piano la sua casa e dove ha preso i soldi per farlo?». Anche perché il Duce non sempre era felice di sapere certe cose: «Qualche volta ascoltava con interesse, qualche altra si seccava per questa forma di spionaggio femminile».

Tornando al memoriale, liquidata con disprezzo la questione della sua fede fascista, Edda affrontava la seconda accusa: quella di essere stata l'ispiratrice della politica estera del fascismo, come figlia prediletta di Mussolini e moglie del ministro degli Esteri, Ciano. «La politica sia interna che estera, sia detto una volta e per sempre, era sempre e unicamente ispirata da mio padre ed eseguita dai suoi collaboratori; per la politica estera da mio marito.»

E qui, poche righe dopo l'introduzione, Edda calava l'asso della «mondanità». Questa, e non altra, era stata la ragione, il senso vero della sua partecipazione alla vita del regime: «Come moglie del ministro degli Esteri non potevo che seguire le direttive che mi venivano date e che erano esclusivamente mondane, seguendo il precetto, sempre trovato esatto, che molto si ottiene dopo un buon pranzo, ottimi vini, bella casa e piacevole compagnia». E ancora: «Non ho mai, al di fuori della pura cortesia mondana più o meno marcata a secondo del momento politico, avuta nessuna intimità con stranieri, uomini o donne». Mondanità, gentilezze, buona educazione, pranzi, cene, e pomeriggi di chiacchiere, vita normale di una signora del Parioli, il quartiere più borghese di Roma. Era come se Edda avesse scritto: vi pare che uno come mio padre, che proibiva alle crocerossine di portare i pantaloni al fronte, avrebbe mai consentito a una donna di avere un ruolo politico?

Ed è sulla base di questa grande bugia che Edda poteva rileggere – e reinterpretare – tutta una serie di eventi che agli occhi degli accusatori dimostravano le sue responsabilità. Per lei, invece, facevano parte dei suoi normali doveri familiari anche le sue missioni presso le cancellerie, i suoi incontri con premier e uomini di governo. E soprattutto i rapporti cordiali intrattenuti fino all'ultimo con Hitler e il suo entourage, sui quali nulla aveva da nascondere: «Resta il fatto che io ero filotedesca, perché? Non so io stessa rispondere alla questione. Perché si preferisce un fiore a un altro, un uomo a un altro, un paese a un altro? (...) La mia era una simpatia gratuita e starei per dire senza conseguenza».

Mondanità, nient'altro. Anche quando si recava all'estero su richiesta del padre: «I miei erano puramente viaggi di divertimento e senza nessun substrato politico. Dato il nome che portavo, in ogni Paese mi avveniva di avvicinare i personaggi più in vista, ma tutto si risolveva nella solita cortesia mondana». Anche quando il Duce la spedì a Londra, per sondare il terreno sulla guerra in Abissinia, Edda parlò con tutti, «dal primo ministro che era allora MacDonald, a Chamberlain, Vansittart e giù fino all'ultimo ufficiale della guardia che mi portava a ballare da Ciro. Fedelmente riportai le mie impressioni e le reazioni degli inglesi, che si potevano riassumere in poche parole: molti tuoni, ma senza fulmini, se la legheranno al dito».

Di qui in poi è tutto un meticoloso elencare gli incontri, anno per anno, mese per mese, sempre da leggersi sotto la lente obliqua degli «obblighi mondani». «Nel giugno del 1936 mia cognata, moglie del conte Magistrati, allora consigliere a Berlino, mi invitò da lei. Partii; come già a Londra vidi tutti e tutto ciò che c'era da vedere. In casa della signora Goebbels conobbi il Fuehrer. Gita sul lago, amabilità ecc. Conobbi via via Goering, Ribbentrop, Frank, Himmler, il Kromprinz. Pranzi, colazioni e solite cose. Mentre ero in Germania, mio marito diventò ministro degli Esteri. Conobbi Von Neurath, allora ministro degli Esteri. E visitai Colonia, Magonza e Francoforte. Ritornai, raccontai, fine.»

Con lo stesso tono venivano annotati un viaggio in Austria nel novembre del 1936, la gravidanza del 1937, la malattia del 1938, che le aveva consentito una partecipazione limitata ai ricevimenti per la visita del Führer in Italia: «Un pranzo a Palazzo Venezia e un "supper" [cena] a Villa Madama». Nel '39 sosteneva di non aver visto un tedesco. E la dichiarazione di guerra, nel giugno del 1940, la trovava «a Venezia, dopo Capri e Abetone. Non potevo certo averla io influenzata». Edda ricordava di essere rimasta «molto sorpresa, dopo tanti patti che non s'entrasse subito in lizza».

Eppure, nel maggio del 1940 Edda, secondo le accuse, si sarebbe adoperata a convincere il padre per fare entrare in guerra anche l'Italia. Premesso che le sue opinioni valevano quel che valevano, non aveva ragione, nel memoriale, di negare l'episodio: «Mi parve che fosse il momento, se si voleva onestamente guadagnare qualche cosa, di agire. Le vittorie tedesche si susseguivano una sull'altra. Io onestamente credevo nella vittoria tedesca. Non solo, ma ingenua, pensavo ancora che una parola data dovesse essere mantenuta».

Sembrava una confessione, più che un'autodifesa. Ma Edda, forse su consiglio di Leonida, doveva avere una fiducia illimitata nella rappresentazione di se stessa come di una semplice donna alle prese con problemi più grandi di lei: «Durante la guerra, essendo finita la parte mondana che era la mia, vidi sempre meno tutti. Generalmente quando i grossi personaggi venivano a Roma facevano pranzi di uomini soli». Tra il primo e il secondo viaggio in Germania, nel 1942, infatti erano passati sei anni. Permanenza «di circa un mese e puramente di svago. Vidi il Fuehrer una volta; ebbi una colazione da Goering, una da Ribbentrop e un pranzo da Goebbels. Andai ad Amburgo, Brema, poi Salisburgo e Vienna».

Infine, l'ultimo tragico «soggiorno forzato vicino a Monaco» quando, dopo il 25 luglio e la caduta del fascismo, Edda era arrivata in Germania con marito e figli, sperando inutilmente di avere un aiuto per riparare in Spagna. È «l'inizio di quell'orribile vicenda che porterà all'uccisione di mio marito, e se non avessi varcato il confine, probabilmente anche alla mia, perché i tedeschi, dopo il mio contegno e linguaggio in Germania e in Italia, mi consideravano a giusta ragione una nemica».

Appena toccato di nuovo il suolo tedesco, c'era stata la festa per il suo compleanno. Subito dopo la liberazione di

Mussolini e il suo arrivo in Germania, Hitler, Ribbentrop e Himmler erano andati a trovarla e le avevano portato dei fiori. Malgrado ciò, il clima non era buono. La discussione era degenerata a sorpresa quando lei, lasciandosi andare, aveva detto al Führer: «Non facciamoci illusioni, la guerra è perduta». Un pesante gelo scese tra i capi nazisti e i disgraziati, ormai, esuli italiani.

«I miei legami con i gerarchi nazisti furono cordiali ma niente affatto politici» proseguiva il testo del memoriale. «I miei rapporti con loro non superarono mai la stretta cortesia. Non ci fu nessuna intimità nemmeno con le loro mogli. Non so parlare tedesco, mi pare che dovrebbe saltare agli occhi di ognuno che non voglia essere cieco che è assai difficile fare quel che mi si dice di aver fatto non conoscendo nemmeno la lingua.» Edda concludeva, spiegando anche la sua decisione di vendere i diari di Ciano al «Chicago Daily News» dopo il fallimento della trattativa con i tedeschi per scambiarli con la salvezza del marito: «Dovevo pur campare!».

Che sulla base di tali argomentazioni Edda potesse essere scagionata e liberata dal confino, è dura da credere. Ma la trovata della mondanità, come architrave della linea di difesa di una causa persa in partenza, non era male. E potrebbe perfino aver colpito una giuria troppo ortodossa – a giudicare dall'enormità delle accuse che venivano contestate all'imputata – alla retorica dell'antifascismo vincente.

Era oppressa dall'idea del ritorno a Roma, la città da cui era fuggita subito dopo il 25 luglio. E tuttavia sapeva che Roma era una tappa obbligata anche solo per cominciare un inventario dei suoi problemi, per contattare i suoi familiari, per verificare se, nel nuovo scenario, c'era qualcuno ancora disposto a darle aiuto.

Prima della rovina, della fuga e della tragica fine di Galeazzo, i Ciano erano stati una famiglia ricchissima. L'eredità lasciata dal padre Costanzo, conte di Cortellazzo e Buccari, era stata oggetto di polemiche subito dopo la sua morte. Si sospettava, si direbbe oggi, un caso di arricchimento politico. Costanzo Ciano infatti era stato ministro delle Poste, e per cinque anni, dal 1934 al '39, presidente della Camera. Gerarca della prima generazione, cavaliere dell'Ordine Supremo della Santissima Annunziata (l'onorificenza più alta conferita dal Re), ufficiale della Regia Marina, ferito durante la Prima guerra mondiale e decorato con medaglia d'oro, aveva goduto del massimo prestigio in vita, ma dopo la morte e dopo le voci sul suo arricchimento, era diventato un uomo discusso. Anche se questo non aveva impedito al figlio di diventare il delfino, oltre che il genero, del Duce.

Lo scandalo era stato sollevato dal «Corriere della Sera» in un articolo apparso il 22 agosto 1943, a meno di un mese dal 25 luglio e poco prima della fuga della famiglia Ciano in Germania. L'elenco delle proprietà del casato era incredibile: «Tre quarti della Società tipografica editoriale del giornale "Il Telegrafo" di Livorno; quattro edifici in Roma del valore totale (a quei tempi) di cinque milioni; titoli industriali così ripartiti: Romana elettricità 1400 azioni; Terni 500 azioni; Montecatini 2000 azioni; Valdarno mille azioni; Metallurgica 1000 azioni; Navigazione generale 300 azioni; Ilva 500 azioni; Anic 1000 azioni; Amiata 700 azioni; Imi 100 azioni; Consorzio credito opere pubbliche 24 azioni; Buoni del tesoro un milione di lire; contante 355.089,40 lire; conto corrente postale 32.975 lire». A giudizio di Galeazzo, che aveva reagito all'articolo con una lettera risentita a Badoglio, nuovo capo del governo, la somma di tutti questi cespiti si aggirava sugli otto milioni. Ma a Roma si diceva che gli appartamenti acquistati da Costanzo Ciano fossero novantacinque (e non cinque), e si favoleggiava di una festa che egli avrebbe dato per il raggiungimento del miliardo di patrimonio, qualcosa come ottocento milioni di euro di oggi.

Tra le due cifre la distanza era enorme. Ma anche a credere che si fosse fermato a metà strada, c'era di che stupirsi. E che la fortuna di Costanzo Ciano fosse oggetto di invidie anche prima della morte, lo dimostrava il fatto che, ben prima che lo scandalo esplodesse, se ne fosse parlato in una di quelle conversazioni a tavola di casa Mussolini, in cui il Duce si mostrava irritato per i pettegolezzi, e Donna Rachele si diceva sicura delle sue fonti. Il 22 luglio 1941, in uno degli incontri istituzionali, anche il Re ne avrebbe parlato al Duce informalmente, accennando già allora una valutazione del patrimonio Ciano attorno ai novecento milioni di lire. Per dare un ordine di grandezze, secondo i calcoli del ministro della Real Casa Acquarone, i beni di Vittorio Emanuele III all'epoca ammontavano a circa trenta milioni.

Mentre si preparava a lasciare Lipari, Edda non aveva alcuna idea della reale possibilità di rientrare in possesso delle sue cose. Non poteva immaginare che il governo Badoglio aveva posto sotto sequestro tutte le proprietà conosciute della famiglia: compresa la villa di Ponte a Moriano, vicino Lucca, dove Costanzo Ciano era morto, in cui viveva la vedova, Donna Carolina, e dove presto lei stessa contava di accamparsi. La lunga battaglia giudiziaria che l'aspettava, con il nascente Stato repubblicano che voleva punirla, era l'ultima cosa che potesse desiderare. Presto, lontana da Lipari, avrebbe scritto a Leonida di essersi ammalata di «avvocatofobia».

X

La sorpresa della Chevelue

In un primo momento, l'idea di restare a Lipari per l'estate e rinviare all'autunno la ripresa della vita normale, chiamiamola così, non doveva essere apparsa del tutto bislacca a Edda. Se la voce di una sua «indifferenza» alla notizia della liberazione era arrivata ai giornali, un fondamento doveva esserci. E, com'è facile pensare, se Edda ne aveva parlato a Leonida, sicuramente lui l'aveva incoraggiata a prendersela comoda.

Poi, però, l'ansia e l'urgenza dei problemi lasciati aperti prima del confino dovettero prevalere. In pochi giorni, Edda si preparò alla partenza per Roma, dove pensava di poter trovare appoggi e solidarietà da parte di qualche vecchio amico sopravvissuto. L'amnistia proclamata da Togliatti aveva stabilito di fatto una forma di continuità nelle amministrazioni pubbliche e nella magistratura. Questo poteva farle sperare di ottenere in breve tempo un riesame più sereno del suo caso.

Edda invece non aveva capito che, pur libera, restava un'indesiderata; un problema ambulante di ordine pubblico. Nel Paese in cui i fuochi della guerra partigiana non si erano ancora spenti, la contessa Ciano rappresentava una scintilla perpetuamente accesa e pronta a infiammare fanatismi diffusi e non ancora sopiti, oltre che un simbolo vivente del regime appena abbattuto.

Pur con tutti i suoi limiti e le sue scomodità, l'isola doveva apparire a Edda, già prima di partire, come l'unico luogo sicuro, e dopo la partenza, come una tana in cui rifugiarsi. Era stato questo il consiglio di Leonida, quando l'aveva vista decisa a muoversi: andate, rendetevi conto, richiamate i vostri figli, e poi tornate a Lipari finché la situazione non sia diventata sicura.

Si erano salutati così, con l'idea di rivedersi prestissimo. Edda piena di riconoscenza, Leonida di quelle emozioni che gli uomini siciliani preferiscono nascondere nella cupezza: fuori da tutto, al momento della separazione, era rimasta Ellenica. Presi com'erano dalle incombenze pratiche, i due innamorati non avevano avuto tempo di occuparsi della loro storia. L'avevano accantonata, ambiguamente. Se davvero non era stato solo un gioco amoroso, e se davvero il loro non era un addio definitivo, come si erano ripromessi, ci sarebbe stato modo di riflettere, di ricordare, di continuare a sognare e naturalmente di ritrovarsi. Era stata Edda, non Ellenica, a raccomandare a Leonida di non farsi prendere subito dalle numerose ragazze che in paese gli giravano attorno. Leonida le aveva sorriso pavoneggiandosi, pieno di orgoglio.

Ma a distanza di tempo le cose cambiarono. «Baiardo mi manca molto e le sue lettere sono molto addomesticate»: fu questa la prima risposta di Edda, il 20 luglio del 1946, ai messaggi che puntualmente, ma senza un reale trasporto, gli scriveva Leonida. Nel testo, secco, nevrotico, concitato («Tra un colpo di telefono, una corsa, una visita, un drink, e la confusione e il movimento generale, vengo a darvi un piccolo saluto»), irrompeva la nostalgia per «la calma e le acque blu di Lipari, o meglio ancora di Vulcano. Qui si ha l'impressione di vivere in un'enorme casa di pazzi. Tutti sono sovreccitati, agitati, nervosi, ansimanti». Tra le righe, un'esca di gelosia e la richiesta di un incontro: «Ho rivisto l'uomo che amavo. Ma siamo alla fase in cui si ricorda il passato, cioè nel finale». E subito dopo: «In fretta Lecret dove, se si vogliono degli amori esotici».

Non era detto che il «dove» necessariamente, fosse Lipari. Ellenica (così era firmata la lettera) voleva già misurare il desiderio di Leonida di rivederla, la sua capacità di raggiungerla e di corteggiarla fuori dal familiare panorama isolano: «Spero che voi soffriate. Soffriate di nostalgia e siate infelice a causa di Ellenica. Infelicissimo e gelosissimo. A presto chéri. Bisogna che io vi lasci perché chi si ferma è perduto. Tenerezze».

Si può immaginare quale effetto abbia avuto su Leonida una lettera siffatta. Ellenica si riaffacciava alternando ai suoi occhi seduzione e cattiveria, impazienza e passione, sprezzo e noia per i resoconti della vita isolana, un po' troppo puntuali e formali. Era il suo modo di metterlo alla prova. Tornò a scrivergli una settimana dopo, quando l'agitazione dei primi giorni aveva ceduto alla stanchezza: «Chéri, quel poco che resta di Ellenica vi invia qualche parola. Se questo regime ad alta tensione continua ancora un po', non resterà che il mio ricordo. Uno di questi giorni sbatto la porta e, senza tamburi né trombe, ridiscendo sull'Isola e su Lecret. Presto un po' di pace, di distensione, di buone risate. Dio vi protegga. Vi bacio». Non era affatto tranquilla, Edda. Il silenzio di Leonida o il ritmo rallentato delle sue risposte dovevano averla indotta in sospetto: «Cosa fate? Che ne è delle vostre donne? La Baia d'Ellenica è sempre segreta, misteriosa e piena di sogni?».

Stando ai toni, agli argomenti e alla frequenza delle

lettere, l'epistolario che ha inizio dal momento in cui Edda lascia Lipari si può suddividere in tre parti. Nella prima, da luglio a ottobre 1946, la contessa attraversa un'incredibile varietà di umori, si diverte a stuzzicare Leonida, provocarlo, adularlo, sfotterlo quasi sempre per ragioni politiche. Si vede bene fin dalle intestazioni dei messaggi: «Caro amico e fidanzato», «Carissimo e unico comunista», «Adorabile Baiardo», «Adorabile allievo di Sieur Palmiro», «Amico delle lunghe giornate», «Purosangue», «Terribile comunista» gli scrive, protestando e prendendolo in giro perché lui, timoroso forse di qualche censura, osa ancora rivolgersi a lei con un «Gentile amica».

Non la turba l'idea che, appena rimasto solo sull'isola, Leonida si sia dato alla pazza gioia con «pastorelle» liparote, che sia preda «come Belzebù, delle sette donne che vanno ad accanirsi contro un innocente». Si diverta pure come vuole, Ellenica saprà riprenderselo, quando vorrà. E tra poco, come ripete quasi in tutte le lettere, tornerà a Lipari per dimostrarglielo. Un atteggiamento del genere, ingrediente di un gioco amoroso da cui Edda era attratta perché sentiva di essere lei a dare le carte, doveva aver fatto colpo su Leonida. Non si spiegherebbe altrimenti, la serie di telegrammi roventi che a giudizio di Edda avrebbero fatto arrossire l'ufficiale postale che li doveva inoltrare.

Poi, a metà ottobre, con il ritorno di Ellenica a Lipari, comincia la seconda fase. L'incontro tra i due innamorati era stato così impetuoso, da rendere impossibile accettare il distacco. Dopo il ritorno a casa di Edda, nei mesi che seguono, fino a gennaio 1947 il tono dei messaggi a poco a poco diviene disperato. È la terza fase, che porterà alla fine della storia. Leonida era preoccupato per il contenuto delle ultime lettere. Lei gli chiede di portarla a fare un giro al Nord, e lui, malgrado i pericoli connessi a un progetto del genere, decide di accontentarla. Siamo all'ultimo giro: ormai, il legame ancora forte tra i due non poteva reggere a una nuova separazione, risentimenti e voglia di vendetta finiranno con l'averla vinta.

All'inizio, Edda aveva giocato tutte le sue male arti per tenere Leonida in tensione: «Chéri, è bello essere amato anche se non vi si crede affatto e vi si scherza sopra. Scherzi a parte, ne ho fin sopra i capelli di tutta la confusione e sempre più penso di fare una malvagia calata sull'isola. Chéri, la Petite Malmaison dorme tranquilla sotto le stelle. Qui esse sono pallide e lontane. Vagamente disgustate. Un po' come Ellenica. Buonanotte. Dormite bene. Sognate dolci cose. Non dimenticate così presto. Vi bacio».

Gli scritti rispecchiavano l'umore giornaliero di Edda, il suo stato di salute, le sue difficoltà. Ma i commiati, alla fine di ogni testo, erano costruiti con maestria: «E voi, ingenuo e generoso, sognate d'una dea pagana, dal corpo fermo, svelto e armonioso». E subito dopo, per non prendersi sul serio: «Non si sa se esplodere in una bella risata o scoppiare in singhiozzi. A presto Chéri. Vorrei essere con voi». Ancora, per rimproverare Leonida delle sue risposte mancate o insufficienti: «Il silenzio è d'oro, si dice. Ma voi esagerate. Io sono completamente rammollita dal caldo, dalla noia, dall'inutilità d'ogni cosa. Sogno a occhi aperti la calma delle notti di Lipari, dell'acqua blu, delle incantevoli sciocchezze che una voce a volte dolce a volte profonda mi sussurrava all'orecchio. Datemi vostre notizie, benedetto poltrone. Divertitevi molto e non dimenticate Ellenica».

Cosa stesse facendo in quei giorni il «poltrone», l'«aitante personaggio iscritto a un partito politico», com'era stato descritto quando la sua storia d'amore, la sua «assidua compagnia, non disdegnata» da Edda erano diventati argomento da giornali, non è dato sapere con precisione. Era stato risucchiato dall'attività politica, eletto in consiglio comunale per il Pci, e si preparava a entrare in un'amministrazione che, in omaggio alla fase politica nazionale, vedeva tutti i partiti del CLN (Comitato di liberazione nazionale) collaborare in larghe coalizioni. Era molto concentrato sulla realtà locale, in cui il vecchio gruppo dirigente fascista stava per reincarnarsi nella Dc. A una domanda della sua amica, sulla pesantezza delle condizioni imposte all'Italia dal trattato di pace e sulla scarsa dignità del nuovo governo di lasciarsele imporre, Leonida non aveva saputo rispondere.

Ma come Edda intuì, questa non era certo la sua unica occupazione. Una sera, seduto a un bar di Marina Corta, non distante dalla piazza della Civita, Leonida s'era accorto di una ragazza che lo guardava. Passeggiava con un'amica, faceva su e giù sulla spianata davanti al molo e alla chiesa dei Santi Cosma e Damiano. L'indomani, alla stessa ora, era di nuovo lì. Molti anni dopo Leonida avrebbe ricordato quel momento in cui «la Chevelue stava per entrare nel destino». Angela Cusolito, «Angelina», esponente, anche lei, di una delle famiglie liparote più in vista, era giovane, mora, sfrontata, con due occhi scuri pieni di mistero e i capelli ricci che le valsero il soprannome di Chevelue, «capelluta». Presto, molto presto, Angela sarebbe diventata la moglie di Leonida.

A Edda, intanto, continuavano a capitarne di ogni tipo. Un giorno nella pensione Villa Borghese, dove alloggiava a Roma, un inglese, «un figlio d'Albione», l'aveva seguita in camera, dopo aver scoperto che era la figlia di Mussolini e, ubriaco com'era, aveva cercato di violentarla. In una lettera del 6 agosto, benché si trattasse di un fatto grave, Edda riportò a Leonida un puntuale, quanto freddo, resoconto dell'accaduto, che sembrava scritto apposta per accendere la gelosia. «Eccolo che bussa alla mia porta. Entra. E a me che lo guardavo con degli occhi tondi come piatti, comincia a bofonchiare. Io adoro, come sapete, le cose più inverosimili, e questa ne era una: il vedere questa montagna di lardo inglese in una piccola stanza, il sentirmi dire che mi aveva trovato interessante, dato che ero seduta vicino a lui, e una quantità di simili sciocchezze. Bene. Ciò non era male.»

A Leonida doveva ribollire il sangue davanti a un racconto del genere. E a Edda poteva essere servito per misurare le sue reazioni. Da tempo, cominciava a nutrire il dubbio che lo sguardo dell'amico si fosse girato da un'altra parte, con Ellenica lontana: «Parliamo un po' del mio cavaliere senza paura e senza macchia, che si annoia di Ellenica» aggiungeva alla fine della lettera «È malato d'amore (?)».

E tuttavia doveva ancora sentirsi sicura del suo rapporto con Leonida. La confidenza con lui era intatta. Si vedeva dal tono con cui gli riferiva i suoi problemi, che, lungi dal risolversi, sembravano vieppiù complicarsi. La questione della sua sicurezza personale s'era aggravata, si moltiplicavano le visite dei funzionari di polizia, che le raccomandavano cautela. Edda era ormai esasperata: «Mio caro Baiardo, si passa da una rabbia all'altra. Questa sera mi sentivo dire che l'arrivo dei miei ragazzi in questo momento non era veramente opportuno, che si temeva per la loro salute. Che non si voglia veramente scherzare? Io non posso entrare in Svizzera e i miei figli non possono entrare in Italia. Voi sapete, chéri, che ne ho fin sopra le orecchie. Desidererei inviare tutti a farsi benedire. Peggio ancora e *honni soit qui mal y pense*. Infine, malgrado i ministeri, la polizia e la totale imbecillità e disorganizzazione, sono sicura che riavrò i miei figli».

Il 13 agosto, Edda in partenza da Roma per Ponte a Moriano, a pochi chilometri da Lucca, era molto nervosa:

«Se penso che dopodomani sarò in una stanza accogliente, con un bagno per me sola e dei vecchi domestici premurosi intorno a me, mi sento stanca di felicità.

Questi ultimi giorni sono stati uno più faticoso e insensato dell'altro. Sarabanda di taxi, d'amici, di cose seccanti. Per di più insonnia completa. Guardo il letto con odio. È un letto di Procuste». Poi una stranezza, di cui pure vuol riferire. «Ho appena acquistato (non avendo soldi non è il caso di far economie) un animale che mancava alla mia collezione. È una capra nera. Feroce. Con una barbetta cattiva e certe corna da competere con i più grandi cornuti di tutti i tempi. È un giocattolo, evidentemente. Lo chiamo Babuc e l'adoro. Lo vedrete quando scenderò nell'isola.»

Con la sua mascotte, Edda s'avviava verso casa della suocera, Donna Carolina. Ma più s'allontanava, più sentiva il bisogno di tenere Leonida vicino a sé. La seconda parte della lettera era piena di inquietudine delirante per l'amico lontano. Gli ricordava di essere «cattiva, scaltra, perfida, canaglia», come a volerlo avvertire di qualcosa che stava intuendo e non le piaceva. Lo ringraziava della visita del fratello Giovanni, che viveva a Roma. Ma non riusciva a spiegarsi perché Leonida fosse rimasto fermo a Lipari e pensasse di rimediare alla sua assenza con un parente.

Il giorno dopo, nella quiete di Ponte a Moriano, Edda, riposata, era più tranquilla. Ma a turbarla era giunta una «notizia sgradevole» che riguardava le spoglie del padre. «Perché non lasciano tranquillo quel povero corpo che ha già sofferto tutti gli insulti e gli oltraggi?» si chiedeva disperata. «Avete mai udito qualcosa di più spaventoso delle macabre avventure, dei lugubri viaggi di questo cadavere per finire d'improvviso in un baule alla Questura di Milano?» Come aveva già fatto al tempo del confino, Edda pensava di rivolgersi a Nenni, che in passato, in nome della vecchia conoscenza familiare con i Mussolini, non le aveva negato il suo aiuto. «Ho una mezza idea di inviargli un telegramma chiedendogli il permesso di prendere quel povero corpo e seppellirlo accanto a mio fratello o in qualunque altro posto decente. Veramente non si può più continuare questa grottesca tragedia di cadavere ambulante.»

Nella vecchia casa familiare, pur presa dai suoi pensieri, Edda non rinunciava a stuzzicare Leonida: «Resta sempre la possibilità di rimaritarmi o di diventare l'amante di qualcuno» concludeva, accennando alla solitudine e al senso di sopraffazione che veniva dal carico di tante questioni irrisolte. «Che ne pensate, mio adorabile Baiardo. Mi domando se vi farebbe della pena che avessi un amante.»

Se voleva smuovere l'amico dalla sua assenza, ci riuscì perfettamente. Tutti questi accenni, queste punture di spillo cominciarono a produrre degli effetti. Leonida accampava scuse per non muoversi, ma insisteva per accelerare il ritorno di Edda a Lipari. Lei lo aveva promesso. E ora confermava di voler mantenere l'impegno:

«Sognate Ellenica? È ella divenuta un'ombra o qualcosa di ben altro che vi angoscia? Ellenica non è sempre lontana. Mi fa piacere il pensare che tra due mesi vi rivedrò. Vi bacio».

Finalmente, a fine agosto, i tre figli di Edda tornarono. Ma il questore di Lucca continuava a metterla in guardia dai pericoli legati al suo rientro e a insistere perché prendesse in considerazione di lasciare il Paese, trasferendosi all'estero. Il governo temeva per Edda e i suoi ragazzi, non si sentiva in grado di garantirle sicurezza e lasciava trapelare disponibilità a darle ogni aiuto per andarsene. «Che ne pensate?» domandava all'amico. «Trovo che questo gioco di inviarmi da un punto all'altro a pedate, come fossi un pallone, sia durato abbastanza. Ciò che mi fa rabbia è il fatto che tutti questi signori, italiani e stranieri, se ne infischino della mia pelle. Ma non vogliono storie. Per esempio i miei compatrioti sarebbero soddisfattissimi se una palla ben mirata mi spedisse al Creatore. Caro amico, avrò mai un momento di tregua. La rondine avrà mai un nido?»

Era stanca, ma non rassegnata. Meditava di andare subito a Roma per «tastare il polso a qualcuno dei grossi berretti del governo» e solo dopo aver ottenuto qualcosa, puntare all'estero. Cominciava a pensare all'Argentina o al Sudafrica come mete possibili dell'esilio. «Un giorno si dovrà riconoscere che "questa donna", come mi si chiamava in senso dispregiativo in questo piccolo porco paese, non ha mollato e ha lottato fino in fondo.»

Qui, di colpo, lo sfogo s'interrompeva, per dar spazio alle intimità. Ellenica era lieta di aver ricevuto una «lettera incantevole» il 17 agosto. Leonida s'era evidentemente ingelosito per le ultime comunicazioni.

«Si direbbe veramente che siete stato ferito mortalmente (modo di dire) e che nella vostra vita non vi sia che un nome irreale quanto la donna dei vostri sogni: Ellenica! Strana creatura, dicevate una volta, una crudele egoista che tutto prende e nulla dona. Errore. Ogni uomo che l'ha amata ha avuto un dono divino. La fortuna unica d'amare e sentirsi accanto agli Dei, anche se talvolta erano infelici come cani malati. Buona notte darling one. Vi bacio. Dolcemente. All'angolo delle labbra.»

Ma a notte fonda l'incertezza aveva avuto il sopravvento, in un lungo postscriptum: «Che dicono le stelle nel vostro cielo? Io non ne vedo in questa parte di mondo. Tutto è buio. Vorrei impietosirmi della mia sorte. Ma gli avvenimenti mi sospingono e tutto grava sulle mie spalle. E io sono disperatamente sola. Scusate, caro amico, il tono amaro di questa lettera. I miei nervi sono al colmo e il mio cuore trema».

Altre notti bianche dovevano seguire. Altre lettere piene di sofferenza. A sorpresa, una cartolina amorosa. Un'altalena di cupezze ed esaltazioni a cui Leonida, probabilmente, non sapeva cosa rispondere. Di nuovo il ritmo delle lettere da Lipari rallentava ed Edda ne era dispiaciuta. «Ditemi, caro Baiardo, cosa vi capita? È un fatto che voi non viziate Ellenica. Niente notizie da molto tempo, salvo una foto in cui avete l'aria così cattiva.»

Il silenzio di Baiardo continuava, era inspiegabile, mentre s'avvicinava la data del ritorno di Edda nell'isola. Il 6 settembre, a meno di un mese dalla partenza per Lipari, Edda incontrava nuovamente Giovanni, il fratello di Leonida. Cena divertente, conversazione allegra su Lipari e sugli ultimi pettegolezzi isolani, finché Edda riuscì a portare il discorso sulla Chevelue, che ormai immaginava molto vicina al suo uomo. Giovanni, ironico, minimizzava. Per dire che la ragazza aveva tempo da aspettare, la definiva «la bella dalla speranza durevole». Malgrado ciò, dalle sue parole Edda ebbe la conferma che la storia esisteva ormai, e non si trattava di una delle tante avventure di Leonida. Il motivo del suo silenzio era quello: «È possibile» chiedeva indignata nella lettera spedita subito dopo l'incontro con Giovanni «che una delle vostre donne coraggiose abbia corrotto il nostro grazioso ufficiale postale? Ho l'impressione di parlare con un'ombra perché voi non rispondete».

Non le restava che accelerare i preparativi per il viaggio a Lipari. Piena di sentimenti bellicosi, salutando Baiardo Edda gli prometteva, al suo arrivo, «un innaffiamento di bombe».

XI

Un ardente desiderio

Non si sa se per imprevisto capriccio dell'ufficio postale o perché conosceva il carattere di Ellenica, e ne temeva le reazioni, Leonida era riuscito a far arrivare due lettere una dopo l'altra, che aprirono una breccia nel cuore dell'amata prima del suo ritorno a Lipari. Alla prima lei aveva risposto subito:

«Chéri, darling, poche parole per dirvi che Ellenica è ancora di questo mondo e che ella vi pensa tanto. È piacevole svegliarsi al mattino e ascoltare parole d'amore che vengon da lontano e che hanno il sapore irreale dei racconti delle Fate».

La dolcezza, tuttavia, non aveva rasserenato del tutto i suoi dubbi. «A una certa età si sa che sono incantevoli bugie» aggiungeva, infatti, subito dopo «ma ciò non cambia niente.»

Si lasciava andare, come e più di altre volte, in vista ormai dell'incontro con il suo Baiardo. «Sapete per esempio che sogno la Civita. E vi rivedo così bene. In questo momento ho un terribile ardente desiderio di voi. Guardando indietro vedo un deserto con delle tombe. Guardando in avanti sento la tempesta su un mare mosso.»

Un po' si compiangeva: «Ciò che mi rende assolutamente miserevole è l'avvertire giorno per giorno i segni della vecchiaia e della decadenza di quella che fu una volta una bella donna. Cuccurucu. Penso che mi crederete stupida perché, come uomo, non potete capire». Ma alla fine tradiva la sua eccitazione per l'appuntamento con Leonida: «Sapete, darling, nessuno sa del nostro "strano interludio", né tanto meno i miei ragazzi ai quali in genere dico tutto. È bello avere un segreto. Le vostre lettere in inglese sono semplicemente divine. Meritate un bacio per ogni parola».

La seconda missiva conteneva i petali di una rosa appena colta. Era stata molto gradita: «Caro Baiardo, grazie per la vostra incantevole lettera del 14 che m'ha svegliata alle 11 e m'ha dato un buon momento di benessere... La rosa era odorosa e rossa. La rondine, subito dopo, s'è levata in volo e forse è già tornata al suo nido». Minuziosamente, Edda dava conto a Leonida dei suoi progetti per trasferirsi in Sudafrica, accompagnati da uno studio accurato della letteratura del Paese, da una richiesta formale indirizzata al governo e da alcune sommarie informazioni sulle due attività più fiorenti, l'agricoltura e il commercio di diamanti: «Incominceremo con la prima e speriamo di finire con la seconda» si augurava. Ma tra le righe di una risposta articolata, e assai poco personale, si riaffacciava il pensiero della Chevelue: «Scommetto che in questo momento le state dicendo paroline dolci. E se Ellenica fosse gelosa?».

La gelosia, per Edda, era sempre stato un tasto sensibile. Ne aveva sofferto moltissimo, come sappiamo, e s'era imposta di superarla, dopo aver scoperto che il marito la tradiva. Galeazzo era un uomo attraente, elegante, pieno di charme. Era di una snobberia irresistibile e a giudizio di Edda aveva un modo assolutamente sexy di

111

portare le uniformi bianche. Dopo averlo conquistato, si può capire cosa avesse significato sapere che, mentre era incinta, il marito si dava da fare con tutte quelle che incontrava.

«Un giorno mi dissi: "Qui adesso si pone un problema: io sono gelosa di Galeazzo". Fino ad allora» era sempre Edda a ricordare «l'aspetto sessuale non aveva avuto molta importanza per me. Subito dopo la nascita del primo figlio cominciai ad essere gelosa. E mi chiesi: "Voglio portarmi questo peso della gelosia tutta la vita per un corno che mi fa mio marito?". Ci avevo riflettuto nei dieci giorni in cui ero rimasta a letto dopo il parto e alla fine pensai: "No. Io mi rifiuto. Faccio uno sforzo di volontà e da questo momento non sono più gelosa, non me ne importa un accidente".»

In realtà, l'elaborazione fu più dolorosa. In una notte di riflessione all'aperto, d'inverno, Edda rischiò pure di prendersi una polmonite. «Alle sei di mattina me ne tornai a letto e dissi: "Ah no! Tu, adesso, da questo momento, non sarai più gelosa di tuo marito, qualsiasi cosa succeda, anche se lo trovi a letto con la tua migliore amica". Da quel momento in poi non sono più stata gelosa.»

Pensava, almeno, che non lo sarebbe stata mai più. E doveva sentirsi furiosa nell'accorgersi di riprovare la stessa sofferenza per Baiardo. Per questo, alla vigilia della partenza per l'isola, non rinunciava a stuzzicarlo. Era il suo modo di difendersi da lui: «Vorrei passare un mese con un uomo che mi amasse o fingesse di amarmi, ma soprattutto che mi divertisse. Lontano dall'Italia. In un angolo incantevole e assolutamente incognito». L'allusione poteva essere a Lipari e a Baiardo.

Leonida era molto preso dai preparativi e le stava riservando una grande accoglienza. Come oggi, ma molto peggio nel '46, i collegamenti tra le Eolie e la terraferma erano incerti. Si arrivava in treno, dopo una notte di sballottolamento, fino a Villa San Giovanni. Di lì era una ressa per salire sul traghetto che attraversava lo Stretto di Messina. Da Messina a Milazzo era un altro viaggio, e finalmente, con un po' di fortuna, si trovava una nave, la vecchia carretta «austroungarica», con cui il tenente Bongiorno era tornato a Lipari.

Così, per alleviare un po' le fatiche del viaggio di Edda, Leonida aveva previsto di farsi trovare a Villa, di raggiungere con lei Messina, riposarsi e ripartire più comodamente la sera o il giorno dopo. Nelle sue intenzioni, tutto doveva essere perfetto. Ma in pratica non fu così, per via di un piccolo inconveniente.

Nella fretta della partenza, Leonida dimenticò a Lipari i suoi documenti, indispensabili, dal momento che Edda, anche in albergo, avrebbe dovuto rimanere in incognito. S'era allora rivolto a un amico funzionario di polizia, che solo il giorno dopo, appena in tempo per l'arrivo, gli aveva fornito un'autorizzazione speciale. «La sera precedente» annotava Leonida sul suo diario «in attesa del direttissimo da Roma, avevo dormito in un sottotetto di una stamberga, più che un albergo, nei pressi della stazione.»

Malgrado le scomodità della notte e quelle, a venire, della mattina, l'incontro alla stazione di Villa era stato molto commovente per tutti e due. A fatica, data la quantità di bagagli che la contessa aveva portato con sé, erano saliti sulla nave. A malapena ne erano discesi. «Una volta a Messina» è sempre il diario di Leonida a parlare «avemmo grandi difficoltà a sbarcare dal ferry boat per l'"assedio", sugli spalti dell'invasatura, delle molte centinaia di viaggiatori calabresi che di buon mattino raggiungevano la Sicilia, e che a bordo, malgrado gli ampi occhiali da sole che le nascondevano il volto, avevano riconosciuto Ellenica.»

Circondati da «poliziotti in borghese», facendosi largo nella ressa «a forza di gomiti», erano riusciti a raggiungere un taxi che, «coperto di valigie fin sopra il tetto, alla maniera di una macchina dei pompieri, in corsa puntò prima su via Garibaldi, poi raggiunse l'Albergo Reale». Lì, esausti, alla fine trovarono riparo. «Tanto sul ferry boat, quanto alla difficilissima uscita, nessun segno di ostilità da parte di alcuno» annotava Leonida. Da comunista avvezzo ai servizi d'ordine delle manifestazioni, nel suo ruolo anomalo di scorta alla figlia del Duce, s'aspettava di peggio.

E una volta abbassate le sue difese da soldato, solo in camera, abbracciandola, s'era reso conto realmente di trovarsi con lei. Era pallida, provata dalla notte in treno e dalle pene dello sbarco. Ma bellissima. Sì, Ellenica gli era apparsa splendida, e dopo tanta attesa, una grande felicità s'era impadronita di lui. L'imbarazzo con cui lo guardava, dietro le lenti scure, era terribilmente attraente. Parlavano, tacevano, si scambiavano tenerezze. E dopo un bagno caldo preparato con cura da Leonida, finalmente ristorati, si erano amati di nuovo.

Il soggiorno a Lipari nella *Petite Malmaison* durò tre settimane. Venti giorni intensi, di tiepide giornate autunnali, serate di contemplazione, di chiacchiere e risate sulla terrazza. Avevano parlato di tutto. Dei successi politici di Leonida, che ormai tutti salutavano per strada come un'autorità. Dell'Italia, di Togliatti. Della fine della Monarchia e della nascente Repubblica. Del prossimo esilio di Edda: «Mi vedo, tra qualche mese, lasciare il suolo della mia patria, sola e senza appoggi. Ma piena di fiducia e di speranza, navigare verso paesi lontani e romantici. Potrebbe darsi che mi fermi a Dakar a bere un Pernod e fare un piccolo giro dalla parte della Liberia...». A meno che, Ellenica lo diceva col suo sorriso ammiccante, guardando i tetti di Lipari e Leonida negli occhi: «Vi sarebbe un tutt'altro programma ben più divertente e squilibrato. Ma ho una famiglia di cui non posso sbarazzarmi».

Allo stesso modo, con la stessa franchezza, avevano parlato della Chevelue, che non era ancora, ma stava per diventare, la prima vera fidanzata di Leonida. Ellenica oscillava tra il sentirla presente, dietro ogni angolo della vita di lui, e il sentirsi di nuovo sicura di sé e della sua storia con Baiardo. Non poteva credere che il soldato, il guerriero che aveva combattuto su tutti i fronti, il poeta della Baia d'Ellenica, che recitava a memoria i versi dell'*Odissea*, fosse pronto a rinunciare a se stesso per diventare un marito qualsiasi, un normale padre di famiglia.

Troppo presto giunse, per Edda, il giorno della partenza. Aveva deciso di prendere la nave da Palermo per Napoli, per poi andare a Ischia a trovare Donna Rachele e i fratelli. Dopo tanta dolcezza, l'intesa tra loro due era di non drammatizzare: non doveva essere, non sarebbe stato un addio. La promessa si rivelò più difficile da mantenere, dopo i giorni incantati e la spensieratezza della *Petite Malmaison*. E di lì a poco, quanto sarebbe diventata triste questa seconda separazione, Ellenica, non avrebbe resistito a confessarlo.

La lettera era arrivata a Lipari l'11 novembre, pochi giorni dopo la partenza.

«Darling one, vi scrivo non per mancanza di meglio, né perché sono avvelenata di stanchezza né, d'altra parte, per cercare un po' di calore umano. Ma semplicemente perché vi penso. Per dir tutto, penso a voi dal momento che ci si è lasciati così correttamente a bordo. E com'era penoso quel piroscafo che non partiva mai e quel metro d'acqua che impediva alle nostre mani di toccarsi.»

Non vedeva ragioni di nasconderselo: «La nostra voce avrebbe potuto superare quella zona cupa, ma era il silenzio che ci era necessario perché i nostri cuori erano pesanti di pena. Ogni tanto i nostri sguardi si incrociavano. L'anima saliva agli occhi, ma subito si girava altrove lo sguardo perché vi erano lacrime che bisognava controllare ad ogni costo».

Mai Edda era stata così chiara, mai aveva messo a nudo così i suoi sentimenti, mai il conflitto tra la durezza del suo carattere e le spinte emotive era stato più esplicito.

«Vi ricordate del self control? Avrei voluto superare con un balzo quell'acqua cattiva. Gettarmi nelle vostre braccia, stringermi a voi e dirvi: "Conducetemi lontano da qui. Dimentichiamo i nostri doveri. Lasciamoci guidare dall'istinto. Noi ci amiamo. Per questo semplice fatto non conosciamo né amarezza, né peccato, né vergogna. I nostri corpi sono puri. Le nostre anime leggere". Avrei voluto gridarvi: "Venite dunque con me. Non abbandonate questa felicità che gli Dei vi offrono. Raramente essi fanno questo dono. E mai due volte. Lasciate l'isola. La famiglia. La vostra fidanzata. L'amore non conosce rimorso".»

Lentamente i marinai avevano mollato gli ormeggi. Il piroscafo s'era mosso, la prua decisa aveva puntato verso Nord.

«Quando il tutto non fu che una linea grigia, ho mandato il mio cuore accanto a voi. Ed è per questo che mi sento così strana. I miei piedi voglion correre da voi. Le mie mani toccarvi. I miei occhi guardarvi. Le mie orecchie vogliono ascoltarvi e la mia pelle sentire la dolcezza delle vostre carezze. La mia voce vuol mormorare sulle vostre labbra: vi amo.»

Si era arresa, doveva ammetterlo. Non sarebbe più riuscita, come la prima volta, a vivere di ricordi aspettando le lettere di Baiardo e il momento di un nuovo incontro.

«Per tre mesi ero fedele al mio sogno. Era meraviglioso. Non v'era alcun ragionamento in quel dolce letargo che di me faceva sempre una donna estremamente casta, perché sulle mie labbra volevo conservare il sapore dei baci vostri. Mi sono accorta che ciò sarebbe stato tanto bello quanto inutile. Buonanotte amor mio. Perché non ho le ali per venire a baciarvi?»

Con questi tormenti per la testa, Edda si era adagiata sulla cuccetta. Benché lussuosa, come quelle dei piroscafi di una volta, la cabina era sporca, il letto umido, il rumore delle macchine, ormai messe a regime, insopportabile. Navigando verso Napoli, raggomitolata come un bruco, una mano sulla testa, Ellenica si preparava a un'altra notte insonne.

XII

La valle del silenzio

Da Napoli – la Napoli annerita del dopoguerra, con le macerie dei bombardamenti ancora in piedi, insieme con le povere cose della gente che era rimasta sotto – Edda andò a Capri. A parte quella sorta di extraterritorialità mondana che consentiva a Capri di essere più o meno la stessa in qualsiasi momento, l'isola aveva sempre rappresentato un rifugio per lei. Lì aveva bei ricordi, qualche amico, luoghi amati, che al solo rivederli la facevano star meglio. Non si sentiva una profuga. A Capri poteva di nuovo sorridere.

Si era fermata pochissimo, perché non era quella la vera meta del viaggio. Edda in realtà era diretta a Ischia, dove i suoi fratelli e Donna Rachele erano stati destinati, dopo i mesi della repubblica di Salò, al confino, e dov'erano rimasti, non sapendo cosa fare e aspettando di valutare meglio la loro sorte.

Da un'isola all'altra – una distanza che oggi si copre con meno di un'ora di aliscafo – il viaggio durò un giorno intero. La nave era lurida, e come capita spesso nel golfo di Napoli, il mare agitato da piccole onde fastidiose. Edda era scesa al porto di Ischia, diretta a Forio, il paese dove la parte superstite della famiglia Mussolini aveva trovato alloggio.

«Mio caro Amico, quel che rimane di Ellenica vi invia appena una parola» la lettera, del 4 novembre 1946, l'aveva scritta subito, per sfogarsi «Voi non avete un'idea di ciò che è questo paese e la casa dove vive la mia famiglia.»

La descrizione era abbastanza cruda. E inevitabile il paragone con la linda modestia di Lipari. «Bene, la Petite Malmaison, di cui non si era fieri, è l'immagine dell'ordine, della pulizia, dell'eleganza. Qui le stanze grandi si aprono una dentro l'altra, i mobili vecchi, tarlati. Di tutti gli stili, fuorché comodi. Pianoforte a coda, scordato. Quadri di presunte scuole alle pareti, ma soffitti che crollano e non una porta che chiuda.»

Ecco, sembrava di esserci e di cogliere lo sguardo nervoso di Edda mentre investigava, fin negli angoli, per cogliere la sofferenza dei suoi familiari e capire come avrebbe potuto cercare di aiutarli. Ma man mano che i dettagli si erano palesati al suo occhio, lo sconforto era prevalso. «In quanto a quel luogo che, ahimè, bisogna qualche volta visitare, è meglio non parlarne. Infine è una vecchia casa che conserva le rovine dei fastigi e delle scomodità dei tempi passati.»

Le mancava la quiete eoliana, subito rimpianta al paragone dello schiamazzo da commedia e dei caroselli napoletani. «Circondati da tanta miserevolezza, si passa però la vita in mezzo ai tuoni, quasi come l'asino. Grammofono a tutte le ore. Radio quando c'è. E chitarra e fisarmonica per tutti i gusti.» La scoperta, nuova per Edda, era che il suo fratello minore Romano, che sarebbe diventato un grande jazzista, rivelava, fin d'allora il suo talento.

«Mia madre, che lavora come una negra da mane a sera, mi dice che ora son rose e fiori in confronto a quando arrivarono.» Il resoconto di Donna Rachele doveva essere stato assai malinconico. La moglie e i figli del Duce, abituati a vivere ovunque circondati da servitù e funzionari, qui si erano dovuti adattare a stare peggio che in carcere. «Han dormito in questi mesi sui cavalletti e sono stati con due o tre latte come pentole, tre paia di lenzuoli e tre asciugamani.»

Edda, sconvolta, aveva consigliato di fare di tutto per andarsene, ora che anche per loro l'obbligo di soggiorno era scaduto. «Per cinquemila lire al mese, tre stanze decenti si possono trovare anche in città. Ma in fondo i ragazzi, dopo le brutte esperienze dell'anno scorso, temono di tuffarsi nella vita comune.» Non era d'accordo, non avrebbe potuto resistere all'idea di andare avanti a quel modo. «Certo, piuttosto che vivere così, io rischierei il colpo alla nuca ogni giorno.»

Superato il disagio della prima impressione, dopo la rottura, durissima, seguita alla condanna a morte di Ciano, e al rifiuto della madre, dopo quello del padre, di perorare un atto di clemenza, l'emozione di ritrovarsi era stata molto forte. Per tanto tempo avevano temuto di non rivedersi più: così Edda e i suoi familiari s'erano messi a parlare. Soprattutto Edda e Donna Rachele, che mai fino a quel momento avevano avuto la possibilità di rivivere gli ultimi avvenimenti. Edda, che si era sempre chiesta come sua madre avesse potuto accettare la relazione tra il Duce e Claretta Petacci, finita con lui appeso a testa in giù a piazzale Loreto, era stupita a sentirle descrivere con dolore gli ultimi giorni con il marito. «Da quando sono arrivata non sono più io: a parte il malessere fisico, c'è il disagio morale aumentato dalle rivelazioni di mia madre.» Dopo l'esecuzione di Galeazzo, dopo quell'ultimo incontro in cui il padre le aveva negato ogni aiuto facendole intendere che nulla poteva, Edda aveva deciso di cancellarlo dalla sua vita. Ma, adesso, le rivelazioni della madre l'avevano indotta a confessare a Leonida i suoi rimorsi: per la reazione avuta quando Mussolini le inviò in Svizzera i soldi (ricavati dalla vendita del «Popolo d'Italia»): «Li prendo perché ne ho bisogno, ma te li restituirò perché da te non voglio più nulla». Per il comportamento tenuto negli ultimi mesi: «Mi addolora il pensiero che mio padre abbia pianto per la mia lontananza e il mio atteggiamento, eppure non potevo fare altro. E ho pianto tanto anch'io. Ma mi sembra che le mie lacrime non abbiano valore di fronte alle sue». E, infine, per la sorte subìta dal Duce e dal marito: «Buon Dio, perché è toccato proprio a me dover scegliere tra le due persone a me più care?».

Poi, come le accadeva spesso, nella stessa lettera a Leonida cambiava del tutto registro. Il viaggio a Napoli, Capri, Ischia, l'incontro con la madre e i fratelli, oltre a farla soffrire, a colpirla intimamente, le erano serviti a ragionare in modo più razionale sul suo presente. A rivedere più concretamente anche i giorni precedenti, l'esperienza del suo ritorno a Lipari e l'incontro con Leonida. A mente fredda, tutto le appariva ancora molto dolce, eppure inutile. Era chiaro che Leonida, pur amandola, non avrebbe rinunciato né all'isola né alla donna che aveva vicina e con la quale pensava di costruirsi una famiglia. Edda doveva ammetterlo con amarezza: il fascino, il coraggio di Leonida erano intatti, ma il suo senso dell'avventura era mutato. Era ancora attratto da lei, ma non fino al punto di inseguirla.

«Ellenica è rimasta piuttosto scossa» riassumeva. «Ha avuto, caro amico, una salutare lezione. Aveva per la prima volta abbandonato la via del più rigido egoismo e il risultato è stato assai penoso. Lecret, corazzato di sacro orgoglio, non crede, non ama, non soffre, non è geloso. Se non ci fosse molta amarezza nel suo cuore, Ellenica riderebbe di se stessa. Oggi non ci riesce ancora. Domani lo farà. Peccato! Forse Baiardo non si rende conto di ciò che ha voluto perdere, ma in fondo tutto ciò era troppo poco importante per lui.»

Mentre faceva, scriveva e ripeteva a se stessa questo ragionamento, Edda si sentiva come nella famosa notte in cui, repentinamente, era passata dall'intento di lasciarsi morire di gelosia, a causa dei tradimenti di Galeazzo, alla decisione di non essere più gelosa di lui. Lo aveva detto e lo aveva fatto: così pensava di riuscirci anche con Leonida. E poi, insisteva tra sé e sé, la situazione, la quantità di problemi che aveva e il futuro dei suoi figli non le consentivano distrazioni sentimentali di quel genere. Avrebbe voluto, certamente, un uomo al suo fianco, in questo frangente difficile della sua vita. E Leonida, per qualche tempo, le era sembrato l'uomo adatto. Ma in sua assenza, e in mancanza di altri uomini degni, avrebbe cercato di cavarsela da sola.

Per quasi un mese non gli aveva più scritto. Poi, verso la fine di novembre, aveva fatto qualcosa che non poteva non confidargli: «Se mi vedeste, chéri, neanche il vostro grande amore resisterebbe allo shock. Non c'è più un capello sulla mia testa e sono identica a mio padre». La spiegazione ufficiale di Edda era che questo drastico rimedio le era stato suggerito per contrastare una caduta di capelli inattesa e anormale. Edda taceva – e non aveva ragione di approfondirle – sulle cause della sua improvvisa alopecia. Ma Leonida aveva capito subito che era il suo modo di lottare contro la solitudine e il mal di vivere, di richiamare di nuovo attenzione su di sé.

La lettera cominciava con il racconto surreale del momento del taglio. «Il maggiore dei miei figli è stato il parrucchiere d'eccezione. Per la verità ciò pareva la danza "dello scalpo" in quanto c'è stato del sangue. Il che l'ha potuto divertire.» Ma più incredibile, ai limiti della follia, era il racconto di come i suoi familiari erano stati preparati alla novità. Appena tornata a Ponte a Moriano, Edda, a tavola davanti ai suoi cari, esordì: «E adesso, cari amici, vado ad annunciarvi qualche cosa, mi sposo. Mia suocera impallidì. I ragazzi: "Ma no! E con chi?" Mowgli mi gettò le braccia al collo dicendo: quant'è bello. È magnifico. Il povero ragazzo crede evidentemente ancora che il matrimonio sia una sciocchezza. Infatti non è che una farsa triste. Ma, per tornare all'inizio della storia, quando potei liberarmi delle effusioni di Mowgli: "Ma no. È uno scherzo. Vado semplicemente a radermi la testa con la macchinetta a zero"».

In casa Ciano, dove ancora resistevano le abitudini di una vecchia dimora nobiliare, con i camerieri che restavano in piedi accanto alla tavola quando i signori erano a pranzo, dovette esserci un momento di sconcerto. Qualcuno avrà pure pensato che Edda fosse impazzita. «Si è avuto un momento di stupore interdetto e dopo fui sommersa da un coro di grida, proteste, rimproveri, ai quali si unì il domestico, lasciando cadere per terra ciò che aveva in mano. Malgrado tutto, è strano. Ed essi tutti, più o meno al principio, avrebbero meglio accettato un marito anziché un colpo radicale alla mia zazzera.»

Edda, era chiaro, puntava a sbalordire, e non semplicemente a curarsi la chioma indebolita. Di donne rapate a zero, in quei tempi, se ne vedevano solo nei manicomi, o nelle foto di quelle punite dai partigiani per aver collaborato con i fascisti. E per quanto la figlia del Duce avesse sofferto di disturbi nervosi e di depressione, senza riuscire a curarli con assiduità, il suo vero scopo era destinato a venire a galla: la testa pelata era un gesto estremo contro la fidanzata di Leonida. Il messaggio, diretto, si accompagnava a una ciocca conservata e confezionata in una bustina: «E adesso ridete un po', facendo una comparazione tra me e la Chevelue. Custodite con tenerezza quel ciuffo di capelli d'Ellenica. Ché, non è più un ricordo d'Ellenica, ma un cimelio. È tutto ciò che resta d'una razza che s'è spenta. Qualcosa di simile all'ultimo dei Moicani».

Già dopo la consegna della lettera precedente, dedicata alla visita ischitana alla madre, la reazione di Leonida era stata ansiosa. Un'altra «deliziosa tempesta di telegrammi», una cascata di messaggi amorosi urgenti, in inglese e in francese. Si descriveva colpito, incerto, pensieroso per quell'improvviso irrigidirsi di Ellenica. Da parte sua Edda si chiedeva se fosse realmente sincero: «Da un telegramma ho appreso che eravate stato alla Valle del Silenzio: il silenzio era ancora così sonoro e così dolce come le altre volte?». Edda non si fidava più delle sue parole. Temeva che proprio i loro luoghi dell'anima potessero essere stati profanati dalla Chevelue. «Perché avete lasciato partire Ellenica? "Sono sicuro – scrivevate – che la mia donna mi rivedrà".» Era curiosa, agitata, impaziente: «A parte i vostri raggiri elettorali e le vostre lotte contro il commercio e il vostro amore tranquillo per la Chevelue, che fate? Venite accanto a me, chéri. Ho bisogno della vostra forza e della vostra tenerezza». La gelosia si era impossessata di lei.

L'argomento dei capelli – che aveva provocato una reazione vitale in Leonida – doveva diventare un cavallo di battaglia di Edda anche nelle lettere successive, insieme alla decisione di far ginnastica, puntare a migliorare la propria salute, di smettere di fumare e di bere: «I miei capelli crescono con un vigore neofascista». E ancora, con un'allusione maliziosa: «A proposito della mia testa: una leggera peluria scura comincia a velare le bozze, le cicatrici (non avevo idea di quante volte mi era stata rotta la testa) e le corna». Sì, aveva scritto proprio così: le corna. «Soggetto scabroso: ma come state, faccia a faccia di questi amabili ornamenti della fronte, soprattutto maschile? Mi fate ridere. Credete che Ellenica vi abbia tradito?» Era il suo modo di tornare a stuzzicare Leonida da lontano. Per poi concludere: «Chéri, scrivetemi. Non lavorate molto. Amatemi tanto. Fatemi regolarmente le corna e soffrite che io vi baci».

A questo punto Baiardo doveva essere piuttosto confuso. Per settimane taceva, anche se lei continuava a scrivere e a invocare risposte. «Niente nuove buone nuove. Almeno lo spero. Che ne è di voi? Dal 27 novembre sono nelle tenebre [la lettera è dell'11 dicembre]. Sembrava foste occupatissimo col vostro nuovo posto di assessore comunale. E ciò a tal punto che avete dimenticato tutti. Ivi compresa Ellenica.»

Edda era molto giù. Confessava a Leonida pensieri di morte. Gli descriveva il suo stato d'animo, per un anniversario recente. «Il 30 novembre 1943 vedevo per l'ultima volta mio marito nella cella 27 del carcere di Verona. Da questo giorno finiva l'incubo cominciato il 25 luglio e cominciava il calvario.» Poi tornava con ossessione sulla paura di non farcela, di non riuscire a resistere alla pressione dei suoi problemi e alla sua solitudine. «Fui una volta per un anno in una casa di pazzi. Bene, erano molto più ragionevoli della gente di fuori.»

Aveva deciso di non arrendersi, di cercare di mettere

alla prova Leonida l'ultima volta. La sua proposta, fatta apposta per essere rifiutata da un uomo che, almeno nelle sue intuizioni, si stava ormai allontanando, era che lui la raggiungesse subito per fare un viaggio insieme al Nord. Un progetto sconsigliabile, stando almeno ai problemi di sicurezza che impedivano a Edda qualsiasi spostamento. E irrealizzabile da soli, a meno di non muoversi scortati dalla polizia. E tranne che, e questa era l'audace proposta di Ellenica, Leonida non avesse trovato il modo di procurarle documenti falsi.

Nella sua vita, specialmente nell'ultima fase della fuga dopo la caduta del fascismo, Edda aveva spesso usufruito di questo genere di agevolazioni. In Germania e in Svizzera, per esempio, era entrata con un passaporto intestato a Elsa Pini. Era un po' più difficile ottenere una nuova identità dopo la fine della guerra e la caduta del regime.

Pertanto, non nutriva molte speranze e immaginava un diniego da Leonida. Ma inaspettatamente, quando da tempo non aveva più sue notizie e lo minacciava di non scrivergli più, lui le annunciò di aver in mano una carta d'identità falsa, sulla quale mancava solo una sua foto. «Mio caro amico, grazie per la vostra lettera» rispose Edda il 22 dicembre, tenendo a freno la sua gioia e la sua commozione, e riprendendo il suo caratteristico senso pratico. «Vogliate ben scusarmi per la mia mancanza di pazienza, di fiducia, di comprensione. Martedì avrò, e ve le invierò, le foto tipo "Io sono un'evasa". Vi aspetto alla fine di gennaio per questo piccolo giro di cui vi dicevo.»

Poi, premurosa come una moglie, Edda raccomandava a Leonida di fornirsi anche lui di un documento di comodo: «Mi permetto d'altra parte chiedervi di avere per voi un'altra carta d'identità oltre la tessera comuni-

sta perché, se questa va benissimo per eventuali partigiani, per alloggiare in un hotel è meglio essere simpli-
cemente il signor Tal dei Tali».

In qualche modo, in questo suo estremo slancio, Leonida doveva essere tornato il vecchio soldato di sempre.
L'aveva attirato, oltre al desiderio di rivederla e al contesto rigoroso ed essenziale della clandestinità che sognava di rivivere, la possibilità di attraversare il pezzo
d'Italia dove ancora i partigiani reggevano le amministi-
strazioni, e dove la guerra appena finita aveva lasciato
molte tracce. «Vi prego di non impennarvi come un purosangue per questi miei consigli» aggiungeva Edda conoscendolo e sapendo quanto fosse sbagliato smorzare i
suoi entusiasmi. Per lei quel viaggio, infatti, restava solo
un giro turistico al Nord e un'occasione per riavvicinar-
lo. Senza troppe illusioni.

La carta d'identità falsa era intestata a un'ignara (e
forse inesistente) signora Bartolini Giuseppina, di Cri-
stoforo e di Concetta Natali, nata a Lipari il 10/5/1911.
Stato civile: nubile. Perfetta per Edda, che era venuta al
mondo solo qualche mese prima. Leonida se n'era ap-
propriato, approfittando della sua libertà di movimento
all'interno del palazzo municipale, grazie alla sua carica
di assessore. Malgrado ciò, come aveva appuntato sul
suo diario, non era stato facile. «Previe precise osserva-
zioni diurne, con banali scuse di accesso negli uffici, realizzai questa carta di identità una sera, durante una seduta consiliare al Municipio, scivolando inosservato nel
corridoio che conduce all'Anagrafe.»

Per la riuscita dell'impresa, si era dotato di un'attrez-
zatura da ladro d'appartamenti, «lampada elettrica, pinza e cacciavite». E si era mosso con grande circospezio-
ne: «Aprii con qualche difficoltà e con falsa chiave la

porta della stanza». Poi, «facilmente, forzando con il cacciavite e la pinza uno degli occhielli a vite che facevano corpo con il lucchetto, il portello del grande scaffale, per arrivare ai cartoncini delle carte d'identità e soprattutto al timbro a secco e ai normali timbri a inchiostro». A cose fatte, Leonida era fiero di sé: «Il tutto, certo, un po' meno difficile di una pattuglia prima dell'alba, di un colpo di mano sotto i reticolati nemici... (!!!)».

Edda gli fece avere le immagini, allegate a un'altra lettera con qualche imbarazzo. «Ecco le foto. Non cacciate degli urli. Ho l'aria talmente misera. Non è "io sono un'evasa", ma la triste gobba del Califfo.» Effettivamente, le foto erano orrende. Per nascondere la mancanza di capelli, Edda s'era fatta ritrarre con in testa una cuffietta di lana, una specie di turbante. Aveva un'espressione spaurita, malaticcia. «In tutti i casi, per l'uso che deve farsene, va bene» concludeva.

Da Natale alla fine di gennaio, quando il viaggio era previsto, l'attesa era stata insopportabile e frequente il timore che Leonida, all'ultimo, si tirasse indietro. Anche Baiardo doveva avere una strana tempesta dentro di sé. «Ricevo degli strani telegrammi» gli scriveva Edda alla vigilia della partenza «che non mi dicono niente, ma tuttavia qualcosa. Chéri, una cosa. Che voi mi amiate. Malgrado tutto.»

Lei lo aspettava, trepidante. E non pensava ad altro.

«Tutti sono gentili con me. Avrei anche dell'amore, se ne volessi. Ma, strano mistero, per una volta sono fedele al mio sogno. Ricordo la Petite Malmaison. Ricordo che qualcuno cercava di rendere meno penoso il mio soggiorno in certe isole lontane.»

Meraviglioso o forse malinconico, certamente esclusivo, di quel viaggio tutto era destinato a restare segreto, custodito solo nei loro ricordi. Anche se poi quell'incontro doveva essere stato molto più difficile dell'ultima volta a Lipari. «Darling» gli scriveva lei al ritorno «mi sembra così triste che siate dovuto partire quando quella terribile barriera di ghiaccio tra noi stava per crollare. Perché siete così diffidente? Perché avete paura di Ellenica? Ella vi ha dato solo gioia e amore tenero.»

Sicuramente, c'era stata della tensione. Lui di certo era stato tormentato all'idea di rivederla e sentirsi di nuovo stretto a lei, quando la sua scelta di vita andava in tutt'altra direzione. E lei, su questo, si era divertita a giocare. «Ricordate che quando una vita incolore è provveduta di una moglie affettuosa, grassoccia e modesta, velocemente si è condotti all'abbandono di qualcuno a cui si era tanto legati.»

In qualche modo, lei s'era illusa di avergli messo addosso il tarlo del dubbio. Lui glielo aveva lasciato credere. O forse lei aveva voluto crederlo, perché così aveva risposto a una delle sue prime lettere dopo il viaggio. «Darling, le vostre parole sono così dolci. Io le leggo e le rileggo. Voi non potete mai immaginare o non vorrete mai rendervi conto di quanto io abbia bisogno di amore, di amicizia, di calore, di protezione.»

Si era rimessa ad aspettarlo, ad addormentarsi pensando a lui: «Vi sono poche cose più gradevoli che custodire addosso una lettera di qualcuno che si ama e di prolungare l'attesa e il piacere. Amo il nome che m'avete dato. Si sente il profumo del sole e del mare. È tardi. Il sonno pesa sulle mie palpebre. Sento sussurrare la vostra voce. Buona notte, chéri. Sento le vostre labbra carezzare i miei occhi. Le mie gote. La mia bocca. Mi stringo a voi e vi dico con un po' di voce insonnolita. Mio tenero amore.» Ma inaspettatamente, dopo un po', la tempesta era passata. Ai tuoni e ai lampi di un fortissimo desiderio, era seguito il silenzio.

«Ecco Chéri che sempre più diventate come un'ombra. Fin quando eravate sul "continente" non avevo l'impressione della distanza. Ed è triste. Ho paura di perdervi. O, peggio ancora, che voi perdiate Ellenica. Non dimenticate Ellenica. E fate un pio pellegrinaggio alla Valle del Silenzio.»

XIII

L'ultima traversata

Nella primavera del '47, poco dopo l'ultimo scambio di lettere con Leonida e l'inutile tentativo di scuoterlo dal torpore liparota, Edda era tornata a Capri. Sollecitata da molti suoi amici, attratta dal tepore benefico delle prime giornate di sole, era approdata trovando un clima ben diverso dalla sua visita precedente. Innanzitutto, l'isola non era più deserta, alberghi e ristoranti avevano riaperto, per ospitare gli stranieri piovuti, ancora una volta, in quell'eterno paradiso mondano. Di nuovo la piazzetta era affollata, gremiti i tavolini dei bar. La leggerezza delle giornate oziose, il pettegolezzo su arrivi e partenze, l'eleganza diffusa all'ora degli aperitivi e i colori stravaganti della moda caprese, avevano dato a Edda la sensazione che Capri fosse tornata a essere quella dei tempi del fascismo: un palcoscenico internazionale, il buen retiro dell'ultima generazione di aristocrazia e alta borghesia cosmopolita.

Si era sentita molto contesa, tra pranzi e cene nelle grandi ville che si riaprivano. Non poteva passare inosservata e, ovviamente, i giornali si occupavano di lei. Così era nata la voce – oggi si direbbe il gossip – di una sua strana frequentazione con Chanteclair, il gioielliere napoletano che di Capri era uno dei padroni e che, secondo le dicerie, ambiva ad averla in moglie. Che si trattasse solo di amicizia, dato che Pietro Capuano, questo il vero nome di Chanteclair, aveva avuto a lungo rapporti, ai tempi d'oro, con la famiglia Ciano, era possibile. Ma Edda, a Capri, era andata a vivere nella villa di Capuano, e questo aveva contribuito ad aumentare la curiosità.

Con Pasqua vicina e Capri sempre più affollata di turisti e di perdigiorno, i giornali avevano cominciato a parlare insistentemente di matrimonio. Scriveva «Oggi», uno dei più espliciti, nel numero del 29 aprile '47: «A molti di quei forestieri venuti a Capri, che curiosi si affollavano nel tardo pomeriggio del sabato santo nella piazzetta della cittadina, per vedere chi arrivava con l'ultimo vaporetto, sfuggì la presenza tra la folla dei passeggeri di un'esile figura di donna, tutta raccolta in un cappotto chiaro, che rapidamente passò tra la gente e, dileguandosi tra le strette e tortuose viuzze dell'isola, si diresse, in compagnia di un uomo di mezza età, elegantissimo nei suoi pantaloni di velluto, verso le pendici che guardano i Faraglioni. La donna era Edda Ciano e il suo partner il conte Pietro Capuano».

«Oggi» si dilungava sulla personalità di Chanteclair, «una delle figure più tipiche di Capri», sul suo soprannome «Gallo francese», sulla sua villa affacciata su uno dei panorami più belli del mondo. E perfino sulla «collezione di circa duecento paia di pantaloni, tutti diversi nelle graduazioni di colore», ma perfetti per farsi notare a Capri. Che poi questo tipo di passione avesse generato «pettegolezzi di quelli che nascono quando un uomo cura eccessivamente la propria eleganza e ama troppo la propria persona», che ci fosse qualcuno che aveva soprannominato Capuano «mannequin», per dire che poteva sembrare effeminato, il giornale si limitava a registrarlo. Senza commenti.

La novità era che lui ed Edda sarebbero stati prossimi alle nozze. «Solo quando tra i tavolini del caffè Vuotto, ove, in piazza, si raccolgono regolarmente verso sera tutti i forestieri, si sparse quella che dai più è considerata la notizia più clamorosa delle ultime settimane, l'attenzione degli ospiti di Capri s'è ridestata. Era la notizia di un prossimo matrimonio di Edda Ciano con il conte Capuano. Una notizia assai verosimile e che può trovare giustificazione per varie considerazioni» commentava «Oggi».

La prima era che Edda e Chanteclair si conoscevano da tempo e ciò, secondo il settimanale, poteva determinare «la conversione della loro amicizia in rapporto affettivo». La seconda, che Edda, a parte la brevissima apparizione di pochi mesi prima, mancava stabilmente da Capri da cinque anni, e questa volta era arrivata per restarci a lungo. L'ultima, che soggiornava a casa del «Gallo francese».

Era impossibile, ovviamente, trovare conferma all'ipotesi delle nozze, che per qualcuno erano già fissate a fine giugno nell'isola. Chi l'aveva cercata era stato respinto in malo modo. A parte le uscite in barca con il fido marinaio Costanzo, e le passeggiate all'ora del tramonto, Edda conduceva una vita ritirata. Mangiava poco, si vestiva sobriamente, anche «con una semplice gonna scozzese» e, «su consiglio dei medici, cercava di limitarsi nel fumo e nei liquori».

Se fu il diffondersi dei pettegolezzi o gli articoli usciti sui giornali a risvegliare Leonida, è difficile dirlo. Eppure, inatteso, l'uomo uscì dal letargo. Dopo mesi, una lettera raggiunse Edda nella sua estasi caprese. Una lettera amorosa. Vi si parlava di un sogno in cui i due amanti, Baiardo ed Ellenica, si ritrovavano a Panarea, ospiti del Grand Hotel. Ma tra le righe qualcosa rivelava lo strazio della lontananza. Lo si intuiva dal tenore della risposta, che Edda subito gli inviò, sulla carta intestata dell'albergo «Le Terrazze» di Capri.

«Mio caro Baiardo, davvero Ellenica doveva essere meravigliosa nella cornice splendida del Grand Hotel di Panarea (così romantico) e non dubito che, aiutata dalla bellezza del luogo e dal grande amore del suo cavaliere, l'incontro fu pieno di sottili sorprese.» Era gentile, ma il tono era un po' risentito, come il suo stato d'animo. «Ho pensato spesso a voi. Anche se il grande silenzio s'è disteso tra noi.» Voleva dirgli di non aver potuto dimenticare la sua strana sparizione dopo il viaggio al Nord, e la rudezza del suo abbandono dopo tante promesse e tanti messaggi d'amore scambiati teneramente in quei giorni. «Spero comunque» insisteva «che essendovi divertito o indignato con la lettura dei vari giornali, non abbiate creduto ai miei romanzi d'amore sfocianti, buon Dio, in fidanzamenti e matrimoni.»

Probabilmente Leonida nella sua lettera aveva fatto qualche cenno alle voci che riguardavano la presunta relazione di Edda. E lei, temeva che, dopo mesi di silenzio, Leonida avesse deciso di farsi vivo spinto solo dai pettegolezzi. Si spiega così il tono di questa lettera, che seppur intimo e caldo, si fa, per la prima volta, indagatore. E infatti non rinunciava a chiedere notizie di Leonida. «A proposito di matrimoni, che avviene con il vostro? Quella vostra povera futura moglie, con le vostre idee di spartana semplicità e umiltà francescana, ha passato l'ultimo guaio. Chi non lo passa del resto sposandosi?» Era il suo modo puntuto di sottolineare la differenza tra un normale matrimonio, con il conseguente squallore che ne sarebbe derivato, e la promessa mancata della loro storia. «Ricordate quello strano contratto tra un certo signor Lecret e la vigilata speciale numero 1? Ugualmente s'è potuto scherzare, malgrado tutto e tutti.»

«Malgrado» Leonida – e l'illusione di ricominciare, infranta dal suo abbandono –, Edda aveva ripreso a vivere. Era solo questo che voleva comunicargli, prima di salutarlo. «Che dirvi di me? Vivo. Ciò non è dir poco. E d'altra parte vivo abbastanza bene. L'isola è meravigliosa, gli amici gentili, ma io comincio ad annoiarmi di questa monotonia felice. Temo le abitudini. Vi incatenano e a poco a poco soffocano il vostro slancio vitale. La felicità abbrutisce. Lottare è vivere» concludeva. Con l'amarezza che le era ancora rimasta e le parole che riecheggiavano le lunghe notti sulla terrazza della *Petite Malmaison*.

Conoscendolo, Edda aveva mirato a ferire Leonida nel suo orgoglio, e sospettava che la sua lettera era destinata a restare senza risposta. Lei, d'altra parte, voleva dimenticarlo, forse non gli avrebbe scritto più. Nella raccolta curata da Leonida, per celebrare il suo amore per Ellenica, c'è ancora un biglietto senza data. Vergato rapidamente in francese, mentre Edda sta tornando a Ischia dalla madre, in poche righe dà il senso della distanza. E anche quello dell'addio.

«In carrozza, ma sola. Piccolo giro turistico. Fino a ora tutto bene, ma le onde aumentano e mi aspetto una traversata vivace. Ellenica ha tanta tristezza. Ma "ciò non ha alcuna importanza" secondo la filosofia Lecretienne. Siate felice.»

Epilogo

Il muro di Ellenica

Perché, giunti al culmine della loro storia, Leonida ed Edda si erano separati? La spiegazione più semplice è che non riuscivano ad andare avanti. Lui non avrebbe mai lasciato Lipari, lei non sarebbe mai andata a vivere lì. Le loro storie personali così differenti, i destini così inconciliabili, prima o poi dovevano schiacciare l'avventura romantica del loro amore. Benché giovane, Leonida era stanco. L'università, gli studi, il lavoro, la guerra, lo avevano fiaccato e tenuto troppo a lungo lontano dalle sue radici eoliane. E pur felice, nell'isola in cui aveva ritrovato salute e bellezza, Edda era inquieta. Le notti insonni la tormentavano, richiamandola alla sua vita precedente.

Ma forse, senza andare troppo avanti, si erano lasciati, semplicemente, per gelosia. Quella terribile, soffocante e ossessionata, di Edda per la Chevelue. E quella furiosa di Leonida per i pettegolezzi sulla storia con Chanteclair. Ma soprattutto per il ritorno di lei al suo ambiente, e alla sua mondanità.

A Ellenica non era mai importato molto che Baiardo potesse avere altre donne. Convinta di avergli rapito il cuore e la mente, le metteva nel conto ma non se ne preoccupava. Tutto però era mutato con l'arrivo della fidanzata.

Leonida ed Edda non avevano mai pensato prima di

costruirsi un futuro duraturo insieme. Non ne avevano neppure parlato e anche quando Leonida le propose di fermarsi a Lipari dopo la fine del confino, fu solo per prudenza e per offrirle un riparo provvisorio. Nella realtà il loro legame non esisteva, si sentivano troppo diversi. Invece, era forte l'unione trasognata di Ellenica con Baiardo. Soltanto nel limbo, appena sfumato, di quella storia inventata erano stati felici. La fantasia, la complicità estasiata, la commedia romantica dei loro tramonti e delle loro notti, li avevano spinti a trovare un artificio per vivere, fino in fondo, i loro sentimenti. E per tirare fuori Edda dalla tragedia edipica di donna ferita due volte negli affetti, dal padre e dal marito.

La loro storia era stata folle, travolgente e appassionata. Ma confusa nell'ambiguità tra il teatro e la vita. Così che tra loro c'era stato un che di pirandelliano. Non si sarebbe capito altrimenti il comportamento di Leonida, la sua lotta con se stesso, quel nascondere e catalogare due volte le tracce della vicenda, in modo che fossero ritrovate e potessero descrivere due distinti intrecci. Uno compiuto, tradotto e stampato, con un inizio e una fine chiarissimi (1945-1947). L'altro privo di una conclusione certa, ma infarcito di petali di rosa appassiti e ciocche di capelli.

Questa seconda versione non si fermava più alla primavera del 1947, dopo la fine del confino di Edda. Andava più avanti, seguendo il filo di tutti i suoi successivi ritorni a Lipari, di altre sue lettere, altri telegrammi, storie curiose di anelli perduti e ritrovati, appuntamenti promessi e rinviati, incontri romani vagheggiati e chissà mai se avvenuti.

Si può intuire che ormai le cose dovessero essere cambiate. L'esclusività del rapporto tra i due aveva ceduto il passo a un'amicizia familiare. A un certo punto anche Donna Rachele aveva scritto per ringraziare dell'ospitalità. Ma dietro l'apparenza formale degli auguri scambiati per iscritto a Pasqua e a Natale, anche qualcosa della grande storia d'amore doveva essere rimasto in piedi. Qualcosa che nuovamente aveva spinto Edda a tornare nell'isola. E aveva portato Leonida a un ultimo, spettacolare, colpo di scena.

Il muro è lì, da quasi quarant'anni. Il turista, capitato per caso sulla Civita, stenta a credere ai propri occhi: un'enorme parete, pesante, scura, eretta a pochi metri dai tavolini all'aperto del ristorante «Filippino», che un tempo sfamava i confinati. Dove una volta c'erano un vecchio campo da tennis abbandonato e la rete di un pollaio semiabusivo, si possono ancora leggere, come scolpiti su una lapide, i versi dell'*Odissea* dedicati a Ellenica.

Leonida aveva dovuto faticare non poco per convincere il Comune a concedergli l'autorizzazione. Molti, tra i consiglieri suoi colleghi, l'avevano considerata una pazzia. E lo stupore di una discussione surreale, su quello strano progetto, era rimasto fissato nei verbali delle sedute del Consiglio. Mai prima di quel dibattito un organismo politico istituzionale aveva discusso d'amore, votando alla fine, e dividendosi, sul desiderio di un uomo di ricordare per sempre una donna. Anche se nessuno poteva sapere che Ellenica, in realtà era Edda.

La costruzione del muro e l'incisione dei versi erano stati affidati a un vecchio marmista. I lavori erano andati per le lunghe, tra la curiosità dei paesani che sempre sostavano attorno al cantiere. Dalla metà del 1970 all'inizio del '71, c'erano voluti molti mesi per vederlo in piedi.

Nel frattempo, uno dopo l'altro, Leonida ed Edda avevano compiuto sessant'anni. A quei tempi e a quell'età, con una giovinezza difficile alle spalle, si cominciava a essere vecchi. Per vezzo, ma anche un po' per necessità, Edda camminava con l'aiuto di un bastone, quando Leonida a sorpresa l'aveva portata a vedere il muro.

Era rimasta in silenzio. E aveva letto, meditando, le parole incise sulla parete; i versi che Leonida, molti anni prima, le aveva recitato nell'incanto della Baia d'Ellenica. Era il XII canto dell'*Odissea*, là dove la Maga Circe, nel tentativo disperato di tenerlo vicino a sé, indica a Ulisse due rotte impossibili per far ritorno a Itaca, una delle quali segnata dalle «Rupi erranti», i Faraglioni di Lipari.

Poi quando lontano di là avranno spinto i compagni
la nave, allora non posso più esattamente segnarvi
quale dev'essere la via: tu da solo
col tuo cuore consigliati: io ti dirò le due rotte.
Di qua rupi altissime, a picco: battendole,
immane strepita il flutto dell'azzurra Anfitrite:
Rupi erranti, gli dèi beati le chiamano.
Qui neppure gli alati si salvano, non le colombe
trepide, che ambrosia a Zeus padre portano,
ma sempre anche di quelle una la nuda rupe ne afferra:
un'altr'il padre ne manda a compiere il numero.
Mai scampò nave d'uomini che qui capitasse,
ma tutto insieme, carcasse di navi e corpi d'uomini
l'onda del mare che furia d'un fuoco mortale travolsero.

A ELLENICA – L.B.
Gennaio 1971

Leonida conosceva a memoria l'*Odissea* e amava declamarla a voce alta: difficile credere, quindi, che non avesse scelto con cura il brano da dedicare a Ellenica. Nella sua mente, i versi scolpiti sul muro dovevano sicuramente simboleggiare un ricordo poetico e una sintesi folgorante della loro storia. Ma appunto, se nella metafora Circe era Ellenica, e se Ulisse era Baiardo, e soprattutto se ogni rotta appariva senza scampo, si può capire perché quel giorno, nel suo cuore di soldato, prudenza, saggezza, o alla fine paura, avessero avuto il sopravvento.

Nota dell'autore

Più che una vera bibliografia, che sarebbe sterminata, trattandosi di una vicenda connessa al fascismo, alla Seconda guerra mondiale e agli inizi della Repubblica italiana, l'autore intende qui dare qualche suggerimento per chi voglia approfondire il periodo storico che fa da sfondo agli avvenimenti narrati in questo libro.

Sul fascismo, oltre alla celebre biografia di Mussolini di Renzo De Felice, molto interessanti sono il *Mussolini* di Pierre Milza (Carocci, Roma 2000), *I conti con il fascismo* di Hans Woller (Il Mulino, Bologna 1996), *La Repubblica di Mussolini* (Laterza, Roma-Bari 1977) e *Storia d'Italia nella guerra fascista* (Laterza, Bari 1969) di Giorgio Bocca.

Su Ciano, *Galeazzo Ciano* di Giordano Bruno Guerri (Mondadori, Milano 2005) e *Ciano* di Ray Mosley (Mondadori, Milano 2005) sono senz'altro i testi più completi. Particolari curiosi, anche sulla prigionia nel carcere degli Scalzi, si trovano anche in *Sono stato il carceriere di Ciano* di Mario Pellegrinotti (Editrice Cavour, Milano 1975). Del padre di Galeazzo, Costanzo, e del suo ruolo alle origini del ventennio si occupa Paolo Puntoni in *Parla Vittorio Emanuele* (Palazzi, Milano 1958).

Su Edda Ciano, oltre al libro di Guerri, indispensabile per capire il personaggio è l'autobiografia sotto forma di intervista della stessa Edda, *La mia vita*, a cura di Domenico Olivieri, con un'esauriente introduzione di Nicola Caracciolo (Mondadori, Milano 2001). Un'attenta ricostruzione della vita della figlia del Duce è contenuta in *Edda, una tragedia italiana* di Antonio Spinosa (Mondadori, Milano 1993).

Sui confinati politici, in particolare su quelli inviati a Lipari, e sulla fuga di Carlo Rosselli, Fausto Nitti ed Emilio Lussu dall'isola, contributi e testimonianze preziosi e di prima mano si trovano in *Confinati a Lipari* (Vangelista, Milano 1974) di Jaurès Busoni e in *Fuga dal confino* (Anppia, Cagliari 1999) di Salvatore Pirastu. Infine, del comportamento del questore Saverio Polito nei confronti dei Mussolini si parla ne *Il caso Montesi* di Francesco Grignetti (Marsilio, Venezia 2006).

L'autore intende esprimere la propria sentita gratitudine a Edoardo Bongiorno, per aver consentito la consultazione di lettere, documenti e materiale fotografico conservati da suo padre Leonida e per la sua disponibilità a ricostruire una vicenda ormai lontana nel tempo: senza la sua collaborazione questo libro non avrebbe potuto essere scritto.

Un caloroso ringraziamento, per i consigli di carattere storico, va al professor Giovanni Sabbatucci. E un grazie, con sincera amicizia, ai responsabili del Centro Studi Eoliani di Lipari Nino Paino, Nino Allegrino e Nino Saltalamacchia.

Indice

Finito di stampare nel mese di aprile 2009
presso il Nuovo Istituto di Arti Grafiche – Bergamo

Printed in Italy